Vagabondage

Catalogage avant publication de Bibliothèque et Archives nationales du Québec et Bibliothèque et Archives Canada

Coderre, Gérard
Vagabondage
(Collection Récit)
ISBN 978-2-7640-2556-7
I. Titre. II. Collection : Collection Récit (Éditions Québec-Livres).

PS8605.O335V33 2016 C843'.6 C2016-940271-1
PS9605.O335V33 2016

Groupe Librex inc.
Une société de Québecor Média
955, rue Amherst
Montréal (Québec) H2L 3K4
Tél. : 514 270-1746

Dépôt légal : 2016
Bibliothèque et Archives nationales du Québec

Pour en savoir davantage sur nos publications, visitez notre site : **www.quebec-livres.com**

Éditeur : Jacques Simard
Infographie : Claude Bergeron

Imprimé au Canada

Gouvernement du Québec – Programme de crédit d'impôt pour l'édition de livres – Gestion SODEC.

L'Éditeur bénéficie du soutien de la Société de développement des entreprises culturelles du Québec pour son programme d'édition.

Financé par le gouvernement du Canada
Funded by the Government of Canada
Canada

Nous reconnaissons l'aide financière du gouvernement du Canada par l'entremise du Fonds du livre du Canada pour nos activités d'édition.

DISTRIBUTEURS EXCLUSIFS :

- Pour le Canada et les États-Unis :
  MESSAGERIES ADP*
  2315, rue de la Province
  Longueuil (Québec) J4G 1G4
  Tél. : 450 640-1237
  Télécopieur : 450 674-6237
  * une division du Groupe Sogides inc., filiale du Groupe Livre Québecor Média inc.

- Pour la France et les autres pays :
  INTERFORUM editis
  Immeuble Paryseine, 3, Allée de la Seine
  94854 Ivry CEDEX
  Tél. : 33 (0) 4 49 59 11 56/91
  Télécopieur : 33 (0) 1 49 59 11 33

  Service commande France métropolitaine
  Tél. : 33 (0) 2 38 32 71 00
  Télécopieur : 33 (0) 2 38 32 71 28
  Internet : www.interforum.fr

  Service commandes Export – DOM-TOM
  Télécopieur : 33 (0) 2 38 32 78 86
  Internet : www.interforum.fr
  Courriel : cdes-export@interforum.fr

- Pour la Suisse :
  INTERFORUM editis SUISSE
  Case postale 69 – CH 1701 Fribourg – Suisse
  Tél. : 41 (0) 26 460 80 60
  Télécopieur : 41 (0) 26 460 80 68
  Internet : www.interforumsuisse.ch
  Courriel : office@interforumsuisse.ch

  Distributeur : OLF S.A.
  ZI. 3, Corminboeuf
  Case postale 1061 – CH 1701 Fribourg – Suisse

  Commandes : Tél. : 41 (0) 26 467 53 33
  Télécopieur : 41 (0) 26 467 54 66
  Internet : www.olf.ch
  Courriel : information@olf.ch

- Pour la Belgique et le Luxembourg :
  INTERFORUM BENELUX S.A.
  Fond Jean-Pâques, 6
  B-1348 Louvain-La-Neuve
  Tél. : 00 32 10 42 03 20
  Télécopieur : 00 32 10 41 20 24

Gérard Coderre

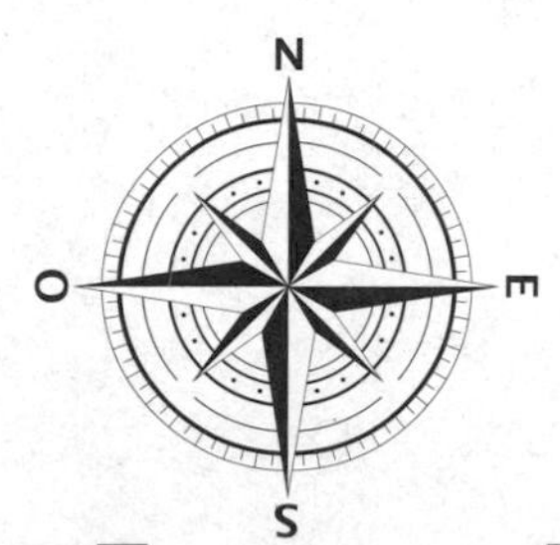

Vagabondage

LES ÉDITIONS
Québec-Livres
Une société de Québecor Média

Prologue

Derek était un rêveur, un idéaliste même, mais il avait les deux pieds sur terre. Il n'avait pas tout quitté, tout laissé derrière lui, sur un coup de tête. L'Inde l'avait toujours fasciné, interpellé même. C'était une destination qu'il avait choisie pour prendre ses distances avec une certaine manière de vivre, comme on le fait souvent au début de la vingtaine, afin de refaire le monde à sa manière, comme si tout ce qu'il avait connu avant devait être remis en question.

À 22 ans, il ne savait peut-être pas ce qu'il voulait faire de sa vie, mais il savait ce qu'il ne voulait pas être. Il refusait les balises et les contraintes, et ne voulait pas se retrouver dans un carcan qui lui enlèverait toute marge de manœuvre. Dans cette démarche que les bien-pensants qualifieraient de fuite en avant, il voulait se prendre en main, faire tout basculer et repartir sur de nouvelles bases.

Il avait décidé de prendre du recul, de vivre autre chose et de réaliser un rêve : faire le tour du monde. L'Inde était pour lui la porte d'entrée dans le monde de l'aventure. De fait, peut-être poursuivait-il inconsciemment un autre but, plus difficile encore à atteindre : faire le point sur sa vie et aller au bout de lui-même. Derek était, pour ainsi dire, à la croisée des chemins.

Pourquoi faire le tour du monde ? Parce qu'il est là, répondait-il, en secouant la tête et en faisant basculer ses longs cheveux bruns derrière ses épaules, à ceux qui ne semblaient pas comprendre sa démarche, trop pris qu'ils étaient par le train-train quotidien entre deux destinations soleil.

Combien de temps? Il n'avait pas vraiment de réponse.

Son projet était né dans un vieux logement dont les jours étaient comptés et qu'il partageait avec d'autres jeunes dans le «faubourg à m'lasse», un quartier oublié du centre-ville de Montréal, entre La Ronde et le parc La Fontaine, sous le toit d'acier du pont Jacques-Cartier.

Le va-et-vient incessant d'une population étudiante en quête de réponses à des questions existentielles et qui tentait tant bien que mal de survivre au quotidien aurait pu étourdir n'importe qui et être vécu comme un cauchemar pour des gens rangés, mais Derek se sentait comme un poisson dans l'eau dans cette ambiance d'auberge espagnole et dans ce climat un peu anarchique qui régnait en permanence autour de la salle de bain, du frigo et du téléphone qu'il fallait partager.

Le logement de la rue Plessis était le reflet de sa génération. C'était son monde à lui, un monde en transition qui se situait quelque part entre le questionnement de la vie étudiante et le marché du travail, entre la quête d'un idéal à partager et le chacun pour soi.

Cette ambiance de Quartier latin, où chacun vivait au jour le jour et où on trouvait ce qu'on voulait bien y apporter, lui convenait très bien. De toute façon, la société de consommation et tout le vacarme publicitaire qui en vantait les mérites n'avaient aucune emprise sur lui. Originaire d'un milieu ouvrier où les sous étaient comptés, il avait appris à se contenter de ce qu'il avait. La résilience avait toujours fait partie de son quotidien et il savait à l'intérieur de lui-même que la liberté à laquelle il aspirait n'était pas possible. Pour être libre, il allait devoir tourner le dos à son passé, prendre la route et devenir en quelque sorte un itinérant. Il n'allait pas accéder du jour au lendemain à cette liberté à laquelle il aspirait. Il allait devoir apprivoiser la liberté, apprendre à être libre.

Certains le considéraient comme un marginal. Lui-même se voyait comme tel. Il acceptait mal la société dans laquelle il vivait. Il avait d'autres plans. Il avait d'autres rêves. Il vivait, en quelque sorte, déjà dans une société parallèle. Il ne craignait pas de sauter dans le vide et de se laisser porter par le destin.

Il avait souvent abordé la question avec ses colocs. Il avait maintes et maintes fois parlé de ses rêves et espéré faire des adeptes, mais sans succès. Beaucoup aimeraient partir un jour et faire le tour du monde, mais il y a toujours un « mais ». Le « mais » s'appelle travail, affaires, études, besoin d'argent, et le rêve s'arrête là. Les « mais » sont trop souvent un frein ou des frontières que nous nous imposons à nous-mêmes, des prétextes et des occasions manquées d'aller au bout de nos rêves. Ces « mais » servent souvent de barrières entre « avoir » et « être ». Derek semblait, consciemment ou non, et ce, malgré son jeune âge, avoir déjà répondu à cette question. Il n'en avait rien à faire de cette course folle pour des biens de consommation. Il voulait « être ». Il voulait surtout être libre. En Occident, on s'identifie trop souvent à ce qu'on a (maison, voiture, emploi, compte en banque) et on voyage avec tout ce qu'on tient pour acquis (confort, horaire prévisible, bonne bouffe). Pour Derek, voyager avec un sac à dos, qui résumait tous ses avoirs, serait un moyen de devenir ce qu'il était vraiment et de donner un sens à sa vie.

La liberté peut faire peur. Derek n'avait pas peur de sortir des sentiers battus. Il s'accrochait à ses rêves et refusait de se laisser prendre par le quotidien.

Derek avait pris une décision qui allait avoir un impact important sur sa vie. Il avait certes le trac avant le grand départ pour l'Inde, le jour « J », comme il l'appelait, mais il avait décidé de foncer tête première. La décision n'avait pas été facile, mais quelque chose lui disait que c'était maintenant ou jamais et que sa décision était la bonne. Il avait appris rapidement sur la « Route des Indes » à ne pas se préoccuper de l'heure des repas ou de l'endroit où reposer sa tête. La liberté était à ce prix. Il allait devoir se laisser porter par la vie.

Derek avait décidé d'aller au bout de ses rêves et de se donner une vie à la mesure de ses aspirations, de ses valeurs et de sa soif de découvertes et d'aventures pour laisser l'imprévisible, l'incertitude, les remises en question, l'insécurité même et les nouveaux horizons prendre toute la place.

Errance ? Vagabondage ? Peut-être.

Derek avait fait un choix et décidé de dire « oui » à une expérience de vie dont il était loin de connaître les tenants et les aboutissants et qui allait le transformer à jamais.

Beaucoup rêvent de faire le tour du monde. Pouvoir le vivre, se donner les moyens de le faire, allait au-delà de tous les rêves.

Sa quête autour du monde allait prendre un sens particulier au moment où il s'y attendait le moins et l'interpeller encore davantage.

Chapitre 1
Un nouveau départ

Bénarès, Inde

Même s'il arrivait à peine à circuler dans la cohue des ruelles du Chowk, le vieux quartier de Bénarès qui longeait les ghâts sur les rives du Gange, il semblait avoir réussi, depuis le temps qu'il roulait sa bosse aux quatre coins du sous-continent indien, à faire fi du chaos qui régnait autour de lui. Il avait acquis, au cours des derniers mois, une capacité d'adaptation qui faisait déjà de lui un globe-trotter aguerri. Son regard portait loin et en disait long sur son tempérament fonceur et sa témérité à toute épreuve. Il avait oublié son petit confort et accepté de se mettre dans un état de survie, comme les petites gens qu'il croisait sur sa route, et de se laisser porter par le hasard de ses rencontres. Il avait appris à se contenter de peu. C'était à ce prix qu'il pouvait prétendre être libre et vivre son itinérance.

À Bénarès la sainte, tout est à vendre. C'est le rendez-vous des masseurs, barbiers, astrologues, diseurs de bonne aventure, cireurs de chaussures, gourous et marchands de tout acabit. C'est la lutte pour la survie, une lutte qui est le karma de la majorité et qui était aussi devenue le lot de Derek, à en juger par le combat constant qu'il devait mener pour essayer de prendre ses distances avec tous ces vendeurs, conducteurs de rickshaw et charlatans qui s'acharnaient à vouloir lui soutirer quelques roupies pour assurer leur survie. En vivant dans la rue, la lutte pour la survie des gens le frappait de plein fouet et l'interpellait. Il luttait lui aussi, avec tous ces laissés-pour-compte, pour sa survie au quotidien.

Bénarès, avec ses petits hôtels miteux et ses restaurants douteux aux abords du Gange, ses mendiants, ses vaches sacrées qui semblent avoir priorité de passage et ses embouteillages de rickshaws, de motos et de charrettes tirées par des ânes, fait partie de l'expérience indienne. L'état de délabrement des vieux quartiers avec les fils électriques qui courent dans toutes les directions et les égouts à ciel ouvert résume les conditions de vie de millions d'Indiens.

Le jeune routard qu'il était se heurtait à la réalité indienne, mais personne ne pouvait rester indifférent à ce monde en équilibre constant entre la misère et l'espoir, la vie et la mort.

Comme pour beaucoup d'autres jeunes Occidentaux, et ce, depuis plusieurs générations, l'Inde était pour Derek un incontournable, une démarche initiatique qu'il se devait de faire, une quête d'absolu dont on rêve tous à un certain âge : cet espoir de trouver des réponses à ses questions existentielles et peut-être, ne serait-ce que pour un temps, de prendre ses distances et de tout recommencer à zéro. C'était comme si l'Inde faisait partie de son cheminement personnel et de son curriculum vitæ, comme si l'Inde était, pour tous ces jeunes Occidentaux bien nantis et de bonne famille, une façon de se dépouiller de leur petit confort et de découvrir l'être qui se cachait en eux.

S'il avait le mal de vivre et connaissait en quelque sorte une crise existentielle, la réalité indienne l'obligeait à relativiser les choses. En Inde, la misère humaine n'est pas marginale. La pauvreté est le lot de la majorité et elle est devenue une culture, un phénomène de société. On lutte pour sa survie comme des damnés, mais on ne perd jamais son humanité. On demeure, dans cette invitation au dépassement personnel, faute de posséder des biens matériels, des modèles d'êtres humains. En Inde, la pauvreté est sans issue, la misère s'est institutionnalisée, mais on en a fait une source d'espoir.

En Inde, ça passe ou ça casse. L'Inde est le test ultime pour tous les routards de la planète. On poursuit sa route si on a le courage de faire face à la condition humaine ou on fait demi-tour. Bénarès était pour Derek la dernière étape de son expérience indienne, et peut-être la plus importante.

Le soleil allait bientôt se lever sur la ville de Çiva, dieu à la fois destructeur et réparateur, et Derek se dirigeait, perdu dans ses pensées, au lieu de rendez-vous d'un spectacle exceptionnel qui aurait lieu aux premières lueurs du jour : la profession de foi des hindous sur les rives du fleuve sacré. Le ventre creux, il venait d'être tiré de son sommeil, après une nuit trop courte, par le bruit des rats qui partageaient sa chambre à son insu dans un hôtel mal famé de la vieille ville.

Au fur et à mesure qu'il s'approchait des rives du Gange et des ghâts de crémation, la foule se faisait de plus en plus dense. L'odeur insoutenable des cadavres qui brûlaient sur les bûchers et la musique triste et monotone qui accompagnait jour après jour les ablutions matinales des pèlerins se faisaient de plus en plus persistantes.

Par ces rites quotidiens, Bénarès célèbre à la fois la vie et la mort. On vient se purifier, comme pour un baptême, dans les eaux du fleuve tous les matins, s'immerger trois fois de suite et boire une gorgée d'eau du fleuve. On vient y mourir également pour atteindre le nirvana et mettre fin au cycle des réincarnations. Bénarès, avec sa multitude de dévots qui aspirent jour après jour à une vie meilleure, ne pouvait laisser Derek indifférent.

Déjà, à quatre heures du matin, un conducteur de rickshaw offrait ses services, des femmes étaient en route pour les rives du Gange en chantant *Hare Krishna ! Hare Rama !*, une vache sacrée, parée d'un collier de fleurs, errait librement dans les ruelles pendant que des enfants récupéraient à sa suite les excréments qui, une fois séchés, serviraient de combustible. Il n'y a pas de sot métier en Inde.

Les premières lueurs du jour se faisaient toujours attendre que déjà les mendiants et tous les déshérités, vieillards et infirmes de la ville qui avaient passé la nuit allongés à même le sol, enroulés dans leur *dothi* crasseux, et que Derek devait enjamber pour se frayer un chemin dans les rues du Chowk, commençaient à prendre position en rangs serrés près du temple Vishwanath, le long des escaliers qui menaient au fleuve sacré. Ce pèlerinage sur les rives du Gange, au milieu de la misère humaine, ressemblait à une descente aux enfers.

Dans un détour menant au fleuve sacré, un vieux sage au regard perçant, sourcils épais, barbe blanche, coiffé d'un turban, le visage couvert de cendres, tout vêtu de blanc et marqué au front du *dishti* représentant le troisième œil, regarda Derek dans les yeux et l'interpella avec l'assurance de quelqu'un qui semblait tout savoir de lui.

Avec son 1,90 m, sa démarche insouciante, ses larges épaules, son corps d'athlète, ses cheveux longs qui tanguaient au rythme de ses pas, le jeune routard, qui dépassait la foule d'une tête, ne passait pas inaperçu, même s'il avait voulu se fondre dans le décor et se perdre dans la multitude.

L'homme offrait à Derek la possibilité, pour quelques roupies, d'en savoir plus sur ce qui l'attendait dans la vie.

Derek rejeta du revers de la main la proposition de celui qu'il considérait comme un diseur de bonne aventure, mais il prit tout de même le temps de s'asseoir aux abords de la ruelle et d'engager la conversation avec le vieil homme qui l'intriguait et qui lui permettait, pour un instant, de faire une pause et d'oublier le chaos des abords du Gange.

Le visage du vieillard, criblé de rides profondes que l'épaisse couche de cendres parvenait mal à maquiller, laissait deviner une vie de privations qui était le lot de la majorité de la population. Il avait mal subi l'épreuve du temps et aux yeux du jeune routard, pour qui tous ceux qui avaient dépassé la cinquantaine étaient déjà vieux, l'homme de Bénarès, avec ses traits labourés par la vie, avait des airs d'outre-tombe.

— D'où viens-tu? demanda le vieillard dans un anglais à l'accent typiquement indien.

— Du Canada, répondit Derek en montrant l'unifolié cousu sur le sac qu'il portait nonchalamment en bandoulière.

— Que viens-tu faire en Inde? poursuivit son interlocuteur qui ne semblait pas être du genre à perdre son temps avec les formalités d'usage.

Sans vraiment laisser le temps à Derek de répondre à ses questions, il enchaîna:

— Que cherches-tu?

Peut-être avait-il déjà perçu dans les yeux du jeune routard cette fragilité qui se cache souvent derrière une assurance trompeuse, cette remise en question, cette recherche de soi.

— Je voulais être ailleurs, répondit candidement Derek.

— Vouloir être ailleurs, c'est une chose, répliqua celui qui était devenu pour Derek, le temps de le dire, un confident, mais encore faut-il avoir un but dans la vie.

Derek n'en savait trop rien, sinon qu'il vivait au présent ce voyage au bout de lui-même, comme s'il avait besoin de prendre le temps de réfléchir à ce qu'il voulait faire de sa vie.

— Quels sont tes rêves? reprit l'ascète. Peu de gens se donnent le temps de rêver. Peu de gens se donnent le temps de réfléchir à ce qu'ils veulent faire de leur vie parce qu'ils sont trop occupés à courir après leur petite fortune, comme si le bonheur se limitait à des besoins de consommation toujours plus nombreux ou à des ambitions sans lendemain.

— Justement, je veux me donner du temps, rétorqua Derek tout en se demandant pour la première fois depuis son départ de Montréal s'il ne vivait pas une sorte de fuite en avant, à défaut d'avoir des réponses à ses questions. Peut-être avait-il mis de côté, tout compte fait, la recherche de solutions à ses problèmes existentiels, trop occupé qu'il était à découvrir « le vaste monde », comme aurait dit le Survenant dans le roman de Germaine Guèvremont, et à lutter, comme tous ces gens qu'ils côtoyaient, pour sa simple survie.

Même s'il avait réussi, jusqu'à un certain point – c'était du moins ce qu'il croyait –, à s'affranchir de son passé, à tourner la page, comme s'il voulait se donner une nouvelle identité et se définir sur de nouvelles bases, ce voyage initiatique au pays de Gandhi et la réflexion des derniers mois le ramenaient toujours à ses vieux démons. Les valeurs de la société qui l'avait vu naître occupaient toujours une place importante dans sa vie et se traduisaient par autant d'attitudes et de comportements dont il lui tardait de se défaire. Il n'avait pas encore laissé derrière lui ses références occidentales, même s'il se reconnaissait de plus en plus dans les sans-abri et les sans-le-sou qu'il croisait sur sa route, comme si la seule façon de se libérer du joug de la société de consommation était de se faire pauvre parmi les plus pauvres, de se mettre en mode de survie et de tenter d'étirer ses économies et de prolonger cette expérience de liberté aussi longtemps qu'il le pouvait.

— Tu as de la chance, répliqua son interlocuteur, de prendre le temps d'aller à la rencontre de ton destin. Crois-tu au destin ?

— Oui, répondit Derek, à demi convaincu.

— Alors, tu es prêt à vivre l'expérience de ta vie, renchérit le vieil homme en le fixant du regard. Tu es riche parce que tu as des rêves. On ne remet pas à plus tard ses rêves ou le moment d'être heureux. Il faut rêver d'avenir pour vivre pleinement le présent.

En voyant que Derek s'apprêtait à se lever et à poursuivre sa route, dans l'espoir de lui soutirer quelques roupies, il enchaîna :

— Veux-tu connaître ton avenir ?

Derek n'était peut-être pas le client rêvé, mais des liens s'étaient créés.

Voyant son manque d'intérêt, l'homme prit tout de même le temps, afin d'ébranler le scepticisme de son interlocuteur, de griffonner rapidement quelques mots sur un morceau de papier.

— Donne-moi le nom d'un arbre, d'un fruit et d'une fleur, demanda-t-il à Derek en désespoir de cause.

Derek s'exécuta pour constater, en jetant un coup d'œil rapide sur le morceau de papier que l'homme lui présentait, qu'il avait vu juste. Il avait deviné les mots choisis. Il avait griffonné en anglais, avant même que Derek le dise, les mots «chêne», «pomme» et «rose».

Les choix du jeune Occidental étaient peut-être prévisibles, mais Derek n'en était pas moins impressionné. Feignant l'indifférence, toujours sceptique face aux médiums de tout acabit, le jeune routard préféra passer son tour. Avait-il eu tort ou raison? Il ne le saurait sans doute jamais. Derek n'était peut-être jamais passé aussi près de connaître son destin.

Après avoir remis quelques dizaines de roupies à son interlocuteur pour clore la discussion, Derek lui tourna le dos. Mais au moment de jeter un dernier regard en arrière, le vieil homme, qui exerçait tout de même chez lui une certaine fascination, l'agrippa par le bras et lui referma maladroitement la main droite de ses deux mains décharnées après y avoir déposé discrètement un médaillon. Il ajouta en esquissant un large sourire:

— Prends ceci, tu en auras besoin. Un jour, tu reviendras me voir. N'oublie pas les trois mots que tu as choisis. Ils font aussi partie de ton destin.

Derek, sans vraiment porter une attention particulière aux dernières paroles du vieil homme, regarda le médaillon qui semblait particulièrement sensible à la lumière du jour et sur lequel il croyait voir des références au Ramayana, la grande épopée hindoue qui relate la lutte entre les dieux et les démons. Le médaillon représentait Rama et Sita entourés de l'armée de singes.

Sans poser d'autres questions et pressé de se rendre aux abords du Gange, il repoussa d'un geste brusque ses longs cheveux bruns derrière sa nuque et poursuivit son chemin.

Le soleil se levait de l'autre côté du Gange. C'était à Bénarès le moment le plus intense de la journée.

Chapitre 2
Chez la *kumari*

Vallée de Katmandou, Népal

Un peu perdu dans ses pensées alors qu'il tentait de se frayer un chemin dans la foule bigarrée qui s'agglutinait en permanence aux abords de la gare ferroviaire de Bénarès, la vue d'un nourrisson enveloppé dans ses langes, et de toute évidence abandonné à son sort, le ramena à la dure réalité.

À la gare de Delhi-Patna, Derek s'engouffra, comme porté par la marée humaine, dans le train qui allait suivre la plaine du Gange et l'amener au pied de l'Himalaya. Après avoir réussi tant bien que mal à se tailler une place dans un wagon de dernière classe et à survivre à une nuit d'enfer, perché à certains moments sur le porte-bagages pour éviter la cohue et le va-et-vient incessant à chaque arrêt du train, Derek se retrouva tôt le matin à la frontière entre l'Inde et le Népal, d'où un vieil autocar, véritable carcasse sur quatre roues, le conduisit à Katmandou, au cœur du Népal.

Katmandou était un rendez-vous à ne pas manquer. Toute une génération de globe-trotters dans les années 1960 et 1970 avait fait de Freak Street, la rue des hippies comme on l'appelait, le rêve de l'évasion. Ils avaient fait de Katmandou leur dernière frontière, la dernière étape d'un voyage dans le sous-continent indien, un de ces lieux mythiques, comme Marrakech, San Francisco, Cuzco, Amsterdam ou Istanbul, où on va pour l'ambiance, pour se retrouver entre routards.

Même si le Népal est un pays de plus en plus fréquenté par les voyageurs de tout acabit et où le plus fauché des routards peut s'en tirer à bon compte et se prendre pour un nabab, il est demeuré le pays des dieux. Il se dégage une ambiance particulière de ces temples et de ces monuments qui semblent sortir du Moyen Âge et qui font toujours partie de la vie des gens.

Derek, comme tous les autres routards de passage avant lui, avait le goût de jeter l'ancre. Il ne venait pas voir Katmandou, il venait vivre Katmandou. L'Annapurna Lodge, qui avait pignon sur Freak Street et où Derek avait un pied-à-terre, offrait un confort spartiate qui ne pouvait convenir qu'aux routards les plus aguerris. Situé à deux pas du centre historique de Katmandou, l'Annapurna Lodge était au cœur de l'action.

À Durbar Square, alors qu'il négociait le prix du passage pour se rendre au Temple d'or près de la rivière Bagmati, Derek rencontra Moukesh, un jeune conducteur de rickshaw dans la vingtaine, coiffé d'un turban fixé nonchalamment sur la tête et laissant entrevoir de longs cheveux noirs.

Moukesh, comme beaucoup d'autres et faute de mieux, louait un cyclopousse pour tenter d'en tirer un gagne-pain. Comme il était sans domicile fixe, son rickshaw constituait en quelque sorte son pied-à-terre. C'est dans son cyclopousse qu'il passait la nuit aux abords de Durbar Square, enveloppé dans son *dothi* crasseux pour être aux premières loges tôt le matin et pouvoir ainsi répondre aux besoins des premiers clients. Dans ce domaine, comme dans beaucoup d'autres dans la vie, être un fonceur et un battant pouvait faire la différence en fin de journée entre s'en mettre plein la panse ou devoir s'endormir le ventre creux.

Le jeune Newar avait remarqué du premier coup d'œil les inscriptions gravées en sanskrit sur le médaillon de Derek.

— Ce n'est pas un bijou comme les autres, fit remarquer sans détour Moukesh, intrigué de voir un tel objet au cou d'un étranger. Tu devrais rencontrer la *kumari*, la déesse qui vit dans un temple à quelques pas d'ici. Elle pourra peut-être donner un sens à ce médaillon. Si tu veux, je t'y amène.

La *kumari* est un objet de curiosité à Katmandou. Désignée dès l'âge de quatre ou cinq ans, en fonction de critères bien précis et après avoir subi une série d'épreuves, la *kumari* incarne Dourga, une des plus importantes divinités hindoues. La jeune fille doit, au moment d'être choisie, présenter les signes de perfection physique requis et faire preuve d'une grande maîtrise de soi lorsque, malgré son jeune âge, elle se trouve devant des danseurs masqués et des têtes de buffles accrochées à des pieux de bois. Elle doit enfin reconnaître parmi les vêtements qui lui sont présentés ceux ayant appartenu à la *kumari* qui l'a précédée. Alors seulement, elle peut incarner Dourga, et ce, jusqu'à la puberté, le sang des premières règles mettant fin à son caractère sacré.

Lorsqu'ils se présentèrent au temple, la déesse était habillée d'une longue robe rouge et or, aux couleurs de la divinité, et portait plusieurs colliers et bracelets d'argent. Au milieu du front, elle affichait le *dishti*, ou troisième œil, un rappel de son karma. Ses cheveux étaient tirés en chignon sous une tiare d'argent. Une lampe, objet rituel réservé aux dieux, brûlait à ses pieds, et les offrandes des fidèles (fruits, riz, fleurs, etc.) étaient déposées à même le sol tout autour.

Si la *kumari* ne fait habituellement que de brèves apparitions du haut d'un balcon pour quelques roupies, elle avait accepté, à la demande de Moukesh, de rencontrer Derek et de jeter un coup d'œil au médaillon qu'il portait.

Elle ne dit rien qui aurait pu mettre Derek sur une piste quelconque et lui permettre de donner un sens ou même un pouvoir à ce médaillon, mais elle insista pour qu'il se rende, avant de reprendre la route, au temple de DakshinKali pour y obtenir les faveurs de Kali, déesse de la destruction et de la mort.

— Le médaillon, précisa-t-elle, renferme un pouvoir qui pourrait être dangereux s'il n'est pas exorcisé.

Derek s'interrogeait de plus en plus sur le « destin » qui semblait lui être réservé, selon les paroles du vieil hindou à Bénarès, et ce, même s'il affichait toujours le même scepticisme face à ces croyances populaires.

— Nul ne peut se défaire du médaillon pour échapper à son karma, ajouta la *kumari* d'un ton monocorde comme si la réalité des mortels n'avait pas d'emprise sur elle et que, malgré son jeune âge, elle n'avait plus rien à apprendre de la vie.

Après un moment de silence, elle conclut :

— Celui qui te l'a confié devait avoir une très bonne raison de le faire.

Moukesh prenait les recommandations de la *kumari* très au sérieux. Il donna rendez-vous à Derek au Durbar Square très tôt le lendemain matin pour se rendre au temple de Kali.

Le temps de prendre un thé, Derek quitta l'Annapurna Lodge au lever du jour pour se retrouver, en compagnie de Moukesh, à bord d'un vieil autocar qui devait les conduire au temple de DakshinKali.

Le temple en question se trouvait à une vingtaine de kilomètres de Katmandou. Les croyants s'y bousculaient en cette période de l'année, alors qu'on célébrait, dans le cadre de la fête du Dasain, la victoire mythique de Kali sur le démon à tête de buffle et qu'on confiait à un officiant le poulet, le canard, le mouton, le bélier, le buffle ou le porc, selon les moyens de chacun, à sacrifier à Kali, l'épouse de Çiva, toujours assoiffée de sang.

Devant l'insistance de Moukesh, qui avait apporté un poulet bien vivant, Derek accepta de se prêter à l'exercice, comme si le monde indien commençait à prendre le dessus sur sa logique et ses valeurs occidentales.

Malgré l'ambiance de fête foraine, il se dégageait de l'endroit une atmosphère bien étrange. La scène était pour le moins inusitée. La déesse à six bras, dont on tentait de satisfaire l'insatiable soif d'hémoglobine, baignait littéralement dans le sang des sacrifices d'animaux mâles non castrés.

L'officiant trancha le cou du poulet, arrosant la représentation de Kali du sang de la victime, sang que Moukesh et Derek devaient ensuite porter à leurs lèvres avant de faire cuire la volaille sur un feu de fortune à proximité du temple.

Quel pique-nique ! pensa Derek en ayant peine à croire qu'il venait de se prêter à un tel rituel. Avait-il au moins réussi à apaiser les craintes de son nouvel ami, à défaut d'avoir assouvi la soif de la déesse Kali ? Cela restait à voir.

Chapitre 3
Rendez-vous au «paradis»

Katmandou, Népal

Derek n'avait aucune idée, lorsqu'il avait pris la route quelques mois plus tôt, de ce qui l'attendait.

Même s'il avait tout naturellement besoin de prendre racine, de créer des liens et d'apprivoiser une ville ou un quartier chaque fois qu'il installait ses pénates pour quelques jours, le goût de l'aventure l'emportait sur tout le reste et il se devait de reprendre la route.

Derek était un solitaire. Né d'un père québécois «pure laine» et d'une mère latino-américaine, il avait toujours eu l'impression de vivre entre deux mondes. Il incarnait dans sa chair cette nouvelle génération originaire d'une sorte de village global qui résumait tous les mouvements migratoires du dernier siècle.

Insouciant à certains égards, il ne laissait pourtant rien au hasard. Il ne comptait que sur lui-même. Son périple autour du monde prenait toute la place et était au cœur de sa démarche. Ses rencontres, même si elles pouvaient être intenses et personnelles, étaient souvent éphémères et accessoires et il les consommait comme du *fast-food*.

Derek, qui pensait déjà à la prochaine étape, rencontra par hasard un autre routard au temple bouddhiste de Swayambhunath, plus connu sous le nom de Temple des singes.

Hank, un Hollandais aux cheveux châtains frisés et au regard fuyant, devait avoir une trentaine d'années et tentait, s'il réussissait à trouver suffisamment de volontaires pour partager les frais du voyage, de se rendre à Lhassa, au Tibet, en empruntant la Route de l'amitié. Cette route, qui fait quelque 900 kilomètres, prend d'assaut l'Himalaya et donne accès au plateau tibétain.

Le lieu de rendez-vous pour discuter des modalités du voyage, un trajet de trois jours et plus, selon la saison et les conditions climatiques, était le Paradise, un restaurant sans prétention fréquenté par les routards de passage.

Un Belge et un couple d'Allemands, tous au début de la trentaine, feraient également partie du voyage. Si Hank, originaire d'Amsterdam, semblait être un routard aguerri, Patrick, Belge de Wallonie, ainsi que Grete et Franz, originaires de Munich en Bavière, avaient plutôt l'air de routards du dimanche. Leurs vêtements à la mode, comme sortis tout droit d'une boutique du quartier Thamel de Katmandou, trahissaient le fait qu'ils n'avaient pas pris la route depuis longtemps. Derek, originaire du « Québecstan », comme il se plaisait à le dire, sorte de pays en devenir, était le plus jeune du groupe.

Cette rencontre au Paradise devant un plat de *gundruk*, une soupe népalaise à base de légumes secs, et un verre de *chang*, une bière locale à base d'orge, n'était, en fait, qu'une simple formalité. Tous allaient être du nombre. Cela ne faisait aucun doute. Cette rencontre était tout au plus une occasion de mieux se connaître avant le départ puisque les conditions du voyage étaient connues de tous et acceptées d'avance.

Il y a une relation particulière entre les routards. Il existe entre eux une complicité qu'on tient tout naturellement pour acquise. Ils sont sur la même longueur d'onde, comme s'ils se connaissaient depuis toujours. Ils parlent tous anglais et ont une même passion pour le vaste monde. Leurs relations sont intenses et éphémères à la fois, comme sans conséquence et sans lendemain. Ils se déplacent avec tout leur avoir sur le dos et sont aussi à l'aise aux confins de la Patagonie, du Sahara ou de l'Himalaya qu'au centre-ville de New York, de Bangkok ou de Sydney. Leurs seules limites sont leurs capacités d'adaptation pour faire fi du petit confort qu'ils ont connu dans une autre vie.

Comme ces voyages de longue durée, aux confins de la planète Terre, s'inscrivent souvent dans une démarche personnelle, Derek, tout en vivant intensément le moment présent, savait pertinemment qu'il y aurait un jour un retour au bercail et que rien ne serait plus comme avant. Déjà, dans sa tête, les choses avaient changé. Il ne serait plus jamais le même.

Entre-temps, il apprenait à donner un sens à son petit bonheur dans un nouveau cadre de référence : le sien. Il apprenait à devenir sa propre référence et à donner tout son sens au mot « liberté ». On lui avait appris, dans une vie antérieure, à se conformer aux règles et aux valeurs d'un milieu donné. Cette virée autour du monde, il la faisait pour lui-même. Il reléguait son passé aux oubliettes et reportait ses projets d'avenir aux calendes grecques.

Ce bonheur et cette liberté, il les vivait ce jour-là en compagnie de quelques routards rencontrés par hasard au Paradise. Un joint de marijuana avait déjà fait plusieurs fois le tour de la table. L'atmosphère était détendue. Derek eut soudain l'impression, tout en demeurant conscient du groupe, de s'en détacher et de se retrouver, sous l'effet de la drogue, seul avec lui-même.

Il entendait bien la conversation qui se déroulait autour de lui, mais ne pouvait se concentrer sur ce qu'on disait. Il ne pouvait fixer son regard qui devenait vague et distrait. Tout effort de concentration devenait difficile, comme s'il ne pouvait lutter contre cet état de léthargie à mi-chemin entre le rêve et la réalité.

Il avait l'impression d'être transporté ailleurs, comme s'il se retrouvait dans une autre dimension où le corps et l'esprit n'étaient plus au diapason et le temps et l'espace n'étaient plus des références. Ses mouvements semblaient beaucoup plus lents, incertains même. Les distances n'étaient plus les mêmes. Ses sens étaient à fleur de peau. Les sons ambiants résonnaient dans sa tête. Les idées se bousculaient à une vitesse vertigineuse et chaque instant paraissait une éternité. Pourtant, le temps fuyait inexorablement. Puis sa tête s'est mise à tourner, à pivoter sur elle-même comme une toupie qui perd lentement de sa vitesse et de sa force centrifuge pour s'arrêter brusquement après avoir tout donné.

Derek s'était endormi.

Lorsqu'il se réveilla en sursaut le lendemain matin dans sa chambre à l'Annapurna Lodge, l'heure du départ avait sonné.

Derek, sans vraiment savoir comment s'était terminée la soirée et comment il s'était retrouvé dans son lit, s'empressa de ramasser ses effets personnels, de dévaler les escaliers et de descendre Freak Street jusqu'au lieu de rendez-vous. Il se retrouva, contre toute attente, face à face avec Moukesh.

Moukesh, qui avait appris que Derek devait quitter la ville ce jour-là, accompagnait le chauffeur népalais qui devait les conduire à la frontière du Tibet. Le groupe allait, une fois les formalités réglées auprès des autorités chinoises, négocier le reste du parcours avec un autre chauffeur, tibétain cette fois, jusqu'à Lhassa.

— *Namasté!* dit Moukesh, les mains jointes, en saluant Derek une dernière fois avant qu'il se joigne aux autres membres du groupe qui l'attendaient déjà dans la voiture.

En regardant Derek dans les yeux, il ajouta:

— Ton médaillon? Qu'as-tu fait de ton médaillon?

Derek n'en avait aucune idée. Il se souvenait qu'il le portait toujours la veille. Il avait même abordé le sujet lors du dîner au Paradise en faisant allusion au mystère qui l'entourait. Son histoire avait d'ailleurs suscité beaucoup d'intérêt autour de la table.

Moukesh avait un regard inquiet.

— Qui aurait intérêt à ?...

Sans rien ajouter, il remit à Derek, en guise de cadeau d'adieu, une amulette porte-bonheur, afin de remplacer, en quelque sorte, le médaillon perdu.

— *Namasté!* dit Derek à son tour, les mains jointes avant de s'engouffrer dans la voiture.

Le trajet, à l'assaut du plateau tibétain, se fit sans encombre. Malgré les conditions de voyage difficiles et les nuits dans des abris de fortune sans eau ni électricité à des températures sous le point de congélation, tous semblaient y trouver leur compte. Le goût de la découverte et de l'aventure et l'émerveillement de la route faisaient en sorte qu'ils pouvaient s'accommoder pour quelques jours de tout et de rien, même d'un menu composé uniquement de *tsampa,* ce mets de farine d'orge qui constituait l'aliment de base des régions montagneuses et, bien sûr, des petits travers de chacun.

De fait, seul Hank tombait sur les nerfs de Derek. Déconnecté de la réalité et converti, selon ses dires, à l'hindouisme, il se considérait comme un être parvenu à un stade avancé de perfection, regardant de haut tous ceux qui n'avaient pas épousé sa cause. Il vivait dans un autre monde.

Derek n'était pas très ouvert à ce personnage qu'il considérait comme un excentrique. Il était peu perméable à toutes ces croyances. De toute façon, il avait d'autres soucis.

S'il avait appris sur « la Route des Indes » à vivre le moment présent, le médaillon qu'on lui avait remis à Bénarès venait brouiller les cartes. Derek ne pouvait s'empêcher, en cours de route, de s'interroger sur les circonstances de sa disparition.

Il allait bientôt trouver réponse à ses questions.

Chapitre 4
Pèlerinage sur le toit du monde

Lhassa, Tibet, Chine

Après avoir parcouru quelque mille kilomètres dans les contreforts de l'Himalaya sur une route où les montagnes semblent infranchissables et les rivières indomptables, le groupe se scinda au Barkhor, dans le vieux Lhassa, où Derek établit son camp de base.

Le Barkhor est composé de maisons traditionnelles à deux étages blanchies à la chaux et aux fenêtres ornées de fleurs. C'est le cœur du Tibet. Entouré d'immeubles attestant de la présence chinoise, le Barkhor a des allures de ghetto, mais il survit, comme si le royaume tibétain n'était pas vraiment de ce monde et que, près du Jokhang, le lieu le plus sacré du Tibet, on était dans une autre dimension.

Derek était venu sur le toit du monde pour y vivre une expérience hors de l'ordinaire, comme un rêve à réaliser à tout prix. Il allait être servi.

Le Tibet n'est-il pas le pays de l'altitude où la splendeur des paysages et les conditions de vie extrêmes en font une terre d'aventures, où la spiritualité sans limites, la ferveur religieuse et la grandeur d'âme des Tibétains prennent le dessus sur tout le reste et vous transportent dans un monde à part ?

Au Tibet, Derek se sentait en apesanteur. La force de l'esprit prenait le dessus sur la fragilité des gens qu'il croisait sur sa route, comme si plus rien n'avait d'importance. La futilité du matérialisme, des horaires serrés et des fausses priorités qui étaient son lot il y a quelques mois encore, éclatait au grand jour. Tout le ramenait à l'essentiel, à une spiritualité à l'état pur. Si le progrès nivelait inexorablement les modes de vie, l'Himalaya échappait encore à cette uniformisation tous azimuts et gardait son halo de mystère.

La rencontre avec un dévot issu de nulle part, à mille lieues de tout parfois, avançant de prosternation en prosternation pendant des jours, des mois, voire des années, vers un lieu de pèlerinage incertain faisait que la magie agissait bel et bien et que le Tibet était un lieu à part, où les références au temps et à l'espace, telles que Derek les avait toujours connues, n'existaient plus.

Tout le Tibet semblait s'être donné rendez-vous derrière les murs de la vieille ville de Lhassa. Marchands, moines, pèlerins, mendiants et fidèles, que Derek croisait dans ce va-et-vient incessant, vendaient, quêtaient, achetaient, priaient, se bousculaient et accomplissaient mètre par mètre leur chemin de prières autour du Jokhang, où se mêlaient l'odeur du beurre de yak offert aux dieux et celle de l'argent de Mao qu'on offrait aux moines pour l'entretien du temple. Pour certains, la route avait été longue. Ils étaient épuisés et sales, la peau cuivrée par le soleil, les vêtements en lambeaux, mais leur foi était inébranlable.

Derek, comme pris dans ce tourbillon de prières, n'avait pu s'empêcher, des heures durant, de suivre, toujours dans le sens des aiguilles d'une montre, cette foule de dévots autour du Jokhang. Ce spectacle étourdissant de la foi tibétaine le transportait dans un autre monde et lui faisait oublier tout le reste. Ce n'est qu'une fois la nuit tombée et le froid installé que Derek revint sur terre, le temps de trouver un endroit où dormir. Quelques petits hôtels du vieux Lhassa offraient la possibilité de se loger à peu de frais et de vivre une expérience toute tibétaine.

Le lendemain matin, Derek se rendit au monastère de Sera, un des grands monastères en banlieue de Lhassa. Les pèlerins, dans un geste de piété, un contenant rempli de beurre de yak à la main, alimentaient les coupelles de bougies qui se consumaient, ou encore laissaient un *kata*, un foulard blanc, en signe de dévotion, dans les nombreuses chapelles du monastère. À l'intérieur des murs, le monde semblait n'avoir aucune emprise, comme si le monastère se situait quelque part entre ciel et terre et que le royaume tibétain n'était, en fait, pas vraiment de ce monde et avait une autre dimension, non palpable, inaccessible à l'étranger de passage.

Attiré par les incantations, Derek pénétra à l'intérieur d'un temple obscur. Là, assis en lotus, drapés dans des robes couleur safran, au son des trompes, des cymbales, des gongs et des tambours, des moines envoûtaient l'atmosphère par des psalmodies venues du fond des âges.

Derek prit place discrètement à l'arrière du temple pour se laisser porter par ces sons du bout du monde et profiter de ce contact privilégié avec la culture tibétaine. Le temple, richement décoré, où aucun centimètre n'avait été laissé au hasard, était rempli de représentations de Bouddha. Des lampes brûlaient au beurre de yak et des objets de culte s'entassaient pêle-mêle dans un bric-à-brac indescriptible, mais où les Tibétains se retrouvaient et donnaient un sens à leur foi.

Un jeune moine qui, quelques minutes plus tôt, observait Derek depuis une fenêtre qui donnait sur la grande place du monastère s'assit à côté de lui.

— *Tachidélé!* dit-il discrètement pour ne pas interrompre le rituel en cours, en montrant les deux mains et la langue, comme le veut la tradition tibétaine, afin de rassurer Derek qu'il ne portait aucune arme et n'avait aucunement l'intention de l'empoisonner.

— *Tachidélé!* répondit Derek.

— Je m'appelle Lhamo, dit le moinillon dans un anglais saccadé.

Lhamo devait être âgé d'une douzaine d'années. Comme le veut la coutume, qui consiste pour les parents à confier au temple un des enfants mâles, Lhamo s'était retrouvé au monastère de Sera dès son jeune âge. Le crâne rasé et portant la tunique couleur safran comme tous les autres moinillons, il se distinguait toutefois par son esprit vif et sa débrouillardise. La vie monastique ne semblait pas lui avoir fait perdre son air espiègle et l'avoir coupé du reste du monde.

— C'est toi qui as perdu un médaillon ? demanda-t-il afin de s'assurer qu'il s'adressait à la bonne personne.

— Oui, répondit Derek, intrigué.

— L'ermite de Tashi Dor a vu ton image à la surface du lac Namtso, ajouta le jeune moine, comme pour contrer le scepticisme de son interlocuteur, et insiste pour te rencontrer.

— Me rencontrer ? Moi ? reprit Derek, incrédule. Qui est cet ermite ?

— C'est un homme d'une grande sagesse qui dit te connaître. Tu dois te rendre au lac Namtso. L'ermite insiste, renchérit Lhamo, toujours à voix basse. Il a un médaillon qui t'appartient.

Cette dernière phrase fit sursauter Derek. Comment, pensa-t-il, le médaillon qu'il avait perdu à quelque mille kilomètres de là pouvait-il resurgir dans sa vie ?

— Comment as-tu entendu parler de moi et du médaillon ? reprit Derek de plus en plus perplexe.

— Tous les moines ici sont au courant, renchérit Lhamo, comme pour donner plus de poids à ses dires. Nous t'attendions. Si tu veux, je peux t'accompagner jusqu'à Tashi Dor.

— Ne dois-tu pas demander l'autorisation de tes supérieurs avant de partir ainsi à l'aventure avec un étranger ? interrogea Derek, sceptique devant cette proposition venant d'un gamin.

Un vieux moine, qui avait suivi la conversation, s'approcha de Derek, entérinant d'un simple geste de la tête la démarche du moinillon.

Derek allait se rendre au lac Namtso, ne serait-ce que par curiosité.

Le lendemain matin, au lever du jour, Lhamo attendait Derek devant la porte de l'hôtel Banak Shol, dans le vieux Lhassa. Les quelques autocars qui desservaient la région quittaient la ville très tôt. Il fallait faire vite.

Chapitre 5
L'ermite de Tashi Dor

Lac Namtso, Tibet, Chine

Si la première partie du trajet, les premiers cent kilomètres, se fit sans encombre, le reste du parcours, de Damxung jusqu'au lac Namtso, s'avéra plus problématique.

Il y a peu de routes et de moyens de transport au Tibet. Le nord est dominé par un vaste plateau, le Changtang, situé à quelque 4 000 mètres d'altitude, entrecoupé de profondes vallées réservées à la culture de l'orge, une céréale qui est à la base de l'alimentation des habitants de ces régions hostiles. À cette altitude, le mode de vie d'une extrême rudesse est le symbole de la culture et de la liberté tibétaines. C'est le pays des nomades qui vivent sous d'immenses tentes brunes avec leurs troupeaux de yaks, qui s'installent en montagne en été et descendent dans les vallées en hiver.

La température change rapidement à cette altitude. Dès que Lhamo et Derek descendirent de l'autocar, un vent froid se leva, balayant le plateau tibétain et soulevant un nuage de sable et de neige. Ils ne tardèrent pas, hospitalité tibétaine oblige, à être invités sous la tente, le temps de prendre un verre de thé salé au beurre de yak dont Derek n'appréciait guère le goût, mais qu'il ne pouvait refuser, de manger un morceau de galette de farine d'orge grillée (*tsampa*) et de trouver un moyen de transport pour se rendre au lac Namtso.

Après avoir négocié le prix du passage, Lhamo et Derek s'installèrent, tant bien que mal, comme tout le monde, dans la benne d'un camion, en prenant soin, compte tenu de l'état de la route et du ballottement incessant du véhicule, de bien s'agripper pour ne pas être éjectés par-dessus bord.

Il fallut quelques heures, en raison des problèmes mécaniques prévisibles en cours de route et des arrêts répétés afin de remplir à intervalles réguliers le radiateur de neige, pour franchir le col de Kong La et parvenir sur les rives du lac Namtso, un lac salé aux eaux turquoise, situé à quelque 5 000 mètres d'altitude et entouré de montagnes aux sommets enneigés. Le paysage était grandiose et faisait presque oublier à Derek le manque d'oxygène à cette altitude. Des nomades, qui vivaient de l'élevage du yak, avaient déjà installé leurs tentes aux abords du lac pour la belle saison.

Lhamo conduisit Derek auprès de l'ermite.

Tashi Dor, contrairement aux autres monastères tibétains bâtis sur des promontoires rocheux et constituant de véritables forteresses de la foi, se résumait à une simple grotte entretenue par un vieillard à l'allure négligée, portant les cheveux longs et la barbe blanche. C'était probablement dans une de ces grottes qu'était né le bouddhisme.

Tashi Dor et le quotidien du vieux moine, réduit à sa plus simple expression, ramenaient Derek aux sources du bouddhisme tibétain, loin de tout. La rudesse du climat à cette altitude, la simplicité, l'austérité des lieux et le dépouillement de son hôte avaient de quoi impressionner. Ce dénuement avait quelque chose de grand.

Le vieil ermite, qui menait à n'en pas douter une vie d'ascète, ne semblait pas surpris de recevoir la visite de Derek. Il l'attendait.

— *Tachidélé!* dit Derek, les mains jointes, en s'inclinant en signe de respect et en remettant à l'ermite, à la suggestion de

Lhamo, un *kata*, un foulard blanc, comme le veut la tradition tibétaine.

Toujours un peu sceptique, malgré les efforts déployés pour arriver jusque-là, Derek ajouta :

— Vous vouliez me voir ?

— Je voulais surtout te remettre ce qui t'appartient, répondit le moine tibétain, en lui tendant le médaillon que Derek n'avait pas revu depuis Katmandou.

Derek reconnut son médaillon et fut à nouveau frappé par la luminosité qui s'en dégageait.

— Mais comment, allait ajouter Derek...

— Le médaillon, au dire de son interlocuteur, qui pouvait lire les questions de Derek sur son visage, a été vendu par un étranger de passage à Lhassa à un dénommé Ralsang, qui est mort subitement, sans aucune explication apparente, dans les jours suivant la transaction. La famille du défunt, craignant que ce médaillon n'ait des pouvoirs maléfiques, a voulu s'en défaire. Un des membres de la famille me l'a confié lors d'un récent pèlerinage à Tashi Dor.

Derek n'en croyait pas ses oreilles. Qui aurait bien pu lui dérober le médaillon ?

— Connais-tu les pouvoirs de ce médaillon ? ajouta le moine, sortant Derek de ses pensées.

— Non, répondit Derek, en secouant la tête vers l'arrière pour dégager ses longs cheveux qui obstruaient son champ de vision.

— De toute évidence, ajouta l'ermite de Tashi Dor, tu as un lien privilégié avec ce médaillon. Tout lien privilégié avec les gens et les objets qui t'entourent implique également des responsabilités. J'espère que tu en es conscient. Le médaillon peut porter chance à celui qui le porte, mais il peut également porter malheur.

Avec une certaine curiosité, l'ascète poursuivit :

— Qu'est-ce qui t'amène au Tibet ?

— Il est venu chercher le médaillon, interrompit Lhamo.

La candeur de cette remarque fit sourire le vieux moine.

— Pour vivre le Tibet et ainsi réaliser un rêve, reprit Derek après un moment.

— Tu auras l'occasion de vivre pleinement le Tibet, renchérit le moine. Je voulais justement te demander, dans le but d'atténuer les craintes de la famille du défunt, si tu pouvais te rendre au monastère de Drikung Thil pour assister aux funérailles de Ralsang, et contribuer ainsi à apaiser l'esprit du défunt et à briser son cycle des réincarnations. Lhamo pourrait t'y accompagner.

Ayant entendu parler des coutumes tibétaines entourant la mort, Derek eut un moment d'hésitation.

— Pourrais-je vraiment être témoin d'un tel rituel ? demanda Derek, conscient du caractère privé de ces rites funéraires.

Voyant son hésitation, l'ermite se fit rassurant en insistant sur l'importance de se prêter à cet exercice jugé nécessaire pour la famille du défunt qui voyait là un geste de réparation et de pardon.

Les rites funéraires tibétains varient selon le contexte, l'environnement et les moyens financiers de la famille concernée. Ainsi, selon le cas, on dispose d'un cadavre en le jetant dans un cours d'eau, notamment dans le cas de jeunes enfants, on brûle le corps si on en a les moyens ou si le bois est facile à trouver, on l'enterre si la personne est morte d'une maladie contagieuse ou encore, et c'est le cas pour la majorité des gens, on pratique le rituel des funérailles célestes qui consiste à donner le corps en pâture aux vautours.

Pour le bouddhiste, le corps humain est composé de quatre éléments : la terre, l'eau, le feu et le vent. Les modes funéraires sont donc liés à ces quatre éléments: l'inhumation est le retour à la terre, l'immersion à l'élément eau, la crémation au feu, et les funérailles célestes au vent.

De retour à Lhassa, Derek avait accepté, en compagnie de Lhamo, qui lui servait de guide et d'interprète, de répondre au souhait de la famille de Ralsang. Celle-ci devait d'abord vivre son deuil avant de confier le corps du défunt au «faiseur de cadavres» du monastère de Drikung, un endroit privilégié dans tout le Tibet pour y pratiquer ces funérailles célestes.

Mal à l'aise face à la mort en général et celle de Ralsang en particulier, compte tenu des circonstances entourant son décès, Derek éprouvait une certaine appréhension à l'idée de rencontrer la famille du défunt.

— Pour les Tibétains, expliquait un moine, pour se faire rassurant, sur le chemin de Drikung, la mort n'est qu'une étape dans le *samsara*, cette errance de l'âme dans un cycle de réincarnations. La mort, ce passage dans une autre vie, se doit donc d'être un événement tourné vers l'avenir et porteur d'espoir. Tu n'auras pas à rencontrer la famille de Ralsang. Les proches du défunt n'assistent pas aux rites funéraires. Comme tu peux facilement le comprendre, peu de gens pourraient supporter la vue d'un proche, même mort, dévoré par les vautours. Un représentant de la famille y assiste toutefois à titre de témoin, si on veut, et y joue un rôle symbolique... C'est là que tu interviens.

Au monastère de Drikung, blotti à flanc de montagne à plusieurs heures de route de Lhassa, le jour se levait à peine que déjà le cortège s'ébranlait. Deux porteurs, accompagnés de quelques moines spécialisés dans le transfert des consciences, transportaient sur une civière le corps de Ralsang enveloppé dans un linceul blanc.

Le parcours était difficile sur le chemin de la *kora*, le sentier de montagne utilisé par les pèlerins, couvert d'une mince couche de neige à cette altitude et menant au cimetière céleste. Le cortège s'arrêta plusieurs fois en cours de route, afin que tout le monde reprenne son souffle, avant de parvenir au lieu prévu pour la cérémonie.

Une fois au charnier, on déposa le corps par terre et on attendit en silence l'arrivée du faiseur de cadavres pendant que les vautours, qui avaient compris que ce branle-bas sonnait l'heure du repas, s'attroupaient tout autour comme dans une scène d'horreur tirée du film *Les oiseaux* d'Alfred Hitchcock.

On demanda à Derek, qui était partie prenante de la cérémonie, d'allumer le feu de bouse de yak – la fumée permettant de guider l'âme du défunt vers le ciel – pendant que le faiseur de cadavres affûtait ses couteaux et revêtait bottes, salopette et tablier pour accomplir sa « sale » besogne. La tension montait. Les vautours, qui étaient plus d'une centaine, s'agitaient et se tenaient prêts à intervenir à tout moment. Derek pouvait sentir la mort.

Le dépeceur s'approcha du corps déposé sur un rocher, enleva le linceul et coupa les liens qui retenaient le cadavre nu dans la position du fœtus. Quelques gestes précis et habiles suffirent à découper de larges lanières de chair le long des membres, du dos et de la nuque, afin de faciliter le travail des vautours.

Déjà difficiles à garder à distance, certains charognards plus téméraires prirent l'initiative, les autres suivirent rapidement. Le dépeceur n'eut d'autre choix que de céder sa place.

En quelques minutes, tout était terminé. On ne se battait plus que pour quelques viscères et le contenu de la boîte crânienne.

Après avoir éloigné les rapaces, qui semblaient avoir été laissés sur leur faim, le dépeceur revint à la charge pour écraser à coups de masse les os qui restaient. Puis, moment fort de la cérémonie, il fracassa le crâne du défunt en psalmodiant la formule sacrée *Om Mani Padme Hum.*

Les vautours les plus gourmands revinrent à table pour terminer ce qui restait. Derek brûla ensuite, à la demande du dépeceur, les derniers fragments sur le feu de bouse de yak, car pour que l'âme soit complètement libérée et se réincarne et que le corps retourne au vent, il ne devait rien rester. Le corps, chez les bouddhistes tibétains, n'est qu'une enveloppe qu'on abandonne pour mieux en vêtir une autre dans une vie future.

Ébranlé par ce qu'il venait de vivre au cours des derniers jours, Derek avait perdu de son scepticisme et était de plus en plus convaincu que son destin était bel et bien lié à ce médaillon qu'il avait innocemment accepté des mains du gourou rencontré en Inde.

Sa virée autour du monde prenait un tournant imprévu.

Chapitre 6
L'heure du thé au Zheng Yi

Pékin, Chine

Le Tibet, notamment en raison de l'altitude, avait mis l'endurance de Derek à rude épreuve. Aussi voyait-il d'un bon œil un séjour dans la capitale chinoise, afin de se remettre sur pied, même si cela représentait des jours de route depuis Lhassa, dans des conditions souvent difficiles.

Dans un *houtong* de Pékin, un de ces vieux quartiers surpeuplés aux murs grisâtres, austères et peu invitants, Derek avait fait la connaissance de Gao, un jeune Chinois ambitieux qui tentait pour le moment de joindre les deux bouts en vendant de la soupe aux nouilles au marché de nuit. S'il rêvait d'une vie meilleure, il était tiraillé, en tant que fils unique, entre ses ambitions personnelles et sa responsabilité, bien ancrée dans la culture chinoise, de veiller sur ses parents vieillissants. N'était-ce pas pour cela que ses parents avaient choisi, dans le cadre de la politique de l'enfant unique imposée par le régime, d'avoir un fils qui, traditionnellement, devait prendre ses parents à sa charge? Plutôt grand et élancé et les cheveux noirs en broussaille, Gao parlait très bien anglais, un atout important pour Derek qui éprouvait beaucoup de difficultés à se faire comprendre dans un pays qui, pendant trop longtemps, avait fait bande à part et limité ses contacts avec le reste du monde.

Dans ce dédale de ruelles étroites, qui semblaient ne mener nulle part, la vie de village survivait au cœur d'une ville qui voulait changer trop rapidement. Dans ce *houtong* que le temps avait oublié, la réalité des gens ramenait Derek à l'Empire du Milieu, comme si ni l'avènement de Mao ni ce qui ressemblait de plus en plus à du capitalisme effréné n'avaient réussi à modifier leur quotidien. Pendant les journées trop chaudes, on vivait littéralement à l'extérieur ou sur le pas de la porte pour bavarder et observer le va-et-vient. Les personnes âgées jouaient au mah-jong ou fumaient à l'ombre d'un mur pendant que les enfants transformaient les ruelles en terrain de jeu et qu'un peu plus loin maraîchers, artisans et marchands de toutes sortes assuraient la survie et la vitalité du quartier.

Si Wangfujing Dajie, la grande rue commerciale de Pékin, et les rues menant à la place Tian'anmen se donnaient des airs de grande ville, Qianmen, au sud de la plus grande place du monde, et les *houtongs* environnants vibraient, avec leurs échoppes à ciel ouvert et leurs vendeurs ambulants, au rythme de la vieille Chine.

Les simples marchés de quartier permettaient de prendre le pouls de Pékin au jour le jour, mais le marché aux puces, le *panjiayuan*, était particulièrement coloré. C'était l'endroit idéal pour y dénicher calligraphies, poteries, meubles, tissus, vêtements, objets artisanaux et souvenirs de tous les coins du pays, depuis les confins du Tibet et de la Route de la soie jusqu'au Triangle d'or. Le *panjiayuan* était en quelque sorte le supermarché de tout le bric-à-brac chinois.

— Mes bijoux t'intéressent? demanda un antiquaire d'origine indienne, pour entamer la conversation en fixant, l'air de rien, le médaillon que portait le jeune routard.

— Pas vraiment, lui répondit Derek, d'un ton qui ne laissait place à aucun dialogue, afin de tuer dans l'œuf ses ambitions à peine voilées et décourager tout marchandage à n'en plus finir.

— Je m'appelle Bhishma et j'achète également des objets rares et anciens. Où as-tu trouvé ce médaillon ? demanda-t-il, dévoilant ainsi son jeu.

— On me l'a donné, répondit Derek, sans vouloir préciser davantage, et il n'est pas à vendre.

— Ça va, j'ai compris, ajouta le marchand, mais si jamais tu changes d'idée, je connais quelqu'un qui t'en donnera sûrement un bon prix. Il s'appelle Ajay. Si tu vas à Hong Kong, tu le trouveras au Star Ferry. C'est de là qu'il gère ses affaires.

Sur le chemin du retour, Gao, qui avait accompagné Derek au marché aux puces, pensa à son vieil oncle, un homme de théâtre dans la pure tradition chinoise et dont le mode d'expression avait survécu tant bien que mal à la révolution culturelle de Mao.

— Mon oncle pourrait peut-être avoir quelque chose à dire sur ton médaillon, dit Gao.

— Il demeure près d'ici ? demanda Derek.

— À cette heure-ci, précisa Gao, il est sûrement au théâtre. Ce n'est pas très loin de la place Tian'anmen.

Si, traditionnellement, l'opéra chinois met en scène des personnages de l'époque impériale, pendant la révolution culturelle de Mao, cet art, comme le reste, se devait d'être au service du peuple et de se concentrer sur des thèmes révolutionnaires mettant en scène le paysan patriote et le combattant de l'Armée populaire de libération. Mais l'opéra chinois, qui a survécu hors de la Chine de Mao, au sein de la diaspora chinoise de Bangkok, Singapour, Penang ou Jakarta, retrouvait peu à peu ses racines et ses lettres de noblesse dans la grande Chine.

Il était possible à plusieurs endroits à Pékin, et notamment au *Zheng Yi,* le plus vieux théâtre chinois en bois du pays, construit au XVIIe siècle dans un *houtong* du centre-ville, où l'oncle de Gao redonnait vie à son art, de vivre dans un contexte intimiste cet art chinois traditionnel.

Le *Zheng Yi* était orné à l'excès dans la pure tradition chinoise, et des balcons entouraient une scène en baldaquin. Il accueillait ce soir-là tout au plus une cinquantaine de spectateurs et allait faire vivre à Derek, de par l'ambiance qui y régnait, un retour au cœur de la Chine impériale. Ce déploiement de masques, de sons, de mouvements acrobatiques et de costumes aux couleurs flamboyantes qui sortait d'un autre monde, sans aucun lien apparent avec la Chine contemporaine et le quotidien des Chinois, était un véritable choc culturel.

Si, pour Derek, c'était à n'y rien comprendre, chaque élément du costume et du déguisement, chaque trait accentué du visage par le maquillage, chaque son avait une signification que Gao s'efforçait d'interpréter pour rendre cet art accessible au *dabize*, au «long nez», comme on appelle les Occidentaux.

— Les effets sonores, qui semblent le fruit d'une batterie mal orchestrée pour un non-initié, ajoutent de l'intensité au jeu des personnages et aux moments forts du drame qui se déroule sous nos yeux, expliquait Gao. Tambours, gongs, instruments à vent et à cordes donnent le rythme au mouvement des acteurs sur scène. Cet art séculaire riche en conventions complexes, aussi bien gestuelles que musicales, s'est tout de même adapté quelque peu à la réalité moderne et est devenu plus populaire avec le temps pour inclure des scènes comiques, des combats, qui rendent ce théâtre traditionnel plus à la portée des gens de la rue. Le but étant bien sûr d'instruire, mais aussi de divertir.

Dans le contexte de cette pièce qui appartenait au répertoire chinois depuis la nuit des temps et faisait référence aux pouvoirs maléfiques, la rencontre, après le spectacle, avec le vieux comédien dans les coulisses du *Zheng Yi* et la discussion qui allait suivre prenaient un sens particulier.

L'homme, le visage osseux d'un ascète marqué par l'âge et les privations, et qui aurait pu passer pour la réincarnation de Confucius avec sa longue barbe blanche, offrit une tasse de thé à ses hôtes, puis écouta avec attention, malgré le va-et-vient des comédiens qui s'apprêtaient à quitter le théâtre, les explications de Gao.

— Tu as de la chance, dit le vieil homme en portant son regard sur Derek, après avoir jeté un coup d'œil au médaillon. Tu es béni des dieux.

Sans vouloir s'étendre sur les symboles qui étaient inscrits sur le médaillon, le comédien, qui semblait sorti du passé, avec ses traits tirés et sillonnés de rides, se disait convaincu que celui qui le portait allait être comblé par le destin.

— Tu n'es toutefois pas au bout de tes peines, ajouta le comédien d'une autre époque en s'adressant à Derek. Tu devras rester sur tes gardes, car le médaillon, comme les êtres humains, peut être source de bien et de mal, et les divinités du panthéon hindou, comme tu le sais, tantôt sources de bonheur ou de malheur, pourraient intervenir à tout moment.

Derek tint à préciser qu'il s'était déjà prêté à certains caprices des dieux hindous lors de son séjour à Katmandou et qu'il avait déjà « donné », pour ainsi dire, mais le vieil homme insista.

— Apprivoiser les dieux et naviguer entre le bien et le mal est le projet de toute une vie et une lutte de tous les instants. Ce médaillon ne fait que mettre la barre encore plus haut pour celui qui le porte. Plus le médaillon occupera une place importante dans ta vie, plus tu devras composer avec ses pouvoirs. Plus les défis à relever seront importants, plus il prendra également de l'importance pour ceux que tu croiseras sur ta route et deviendra, par le fait même, un objet de convoitise.

Le comédien, qui avait, de toute évidence, des références culturelles occidentales, poursuivit :

— Le médaillon est à la fois ta force et ton talon d'Achille. D'une certaine façon, ton destin est dorénavant lié à cet objet dont tu es le gardien.

En digne héritier de Confucius, l'oncle de Gao conclut avant de retourner à ses occupations :

— Mais n'oublie pas une chose, le bonheur et le malheur ne viennent que de nous-mêmes. Si tu sais te contenter de ce que tu as, tu es un homme riche. Si tu t'appliques à être lent et réfléchi dans tes paroles et diligent dans tes actes, tu es un homme sage. Si tu ne t'affliges pas que les hommes ne te connaissent ou ne te comprennent pas, mais t'affliges plutôt de ne pas connaître ou comprendre les hommes, tu es un homme bon. Puissent tes voyages faire de toi un homme plus riche de connaissances et un meilleur citoyen du monde... Ton médaillon y contribuera sûrement.

Le vieil homme se leva. Il n'était pas de ceux qui parlaient pour ne rien dire. Derek s'était contenté de boire ces paroles comme si toute la sagesse et la richesse d'une culture plusieurs fois millénaire venaient de lui être résumées en quelques mots, le temps d'une tasse de thé. C'était peut-être ça, vivre la Chine.

Sans en avoir la certitude, Derek avait eu l'impression, à certains moments au cours de la conversation, d'être épié, comme si des comédiens en arrière-scène, tout en vaquant à leurs occupations, avaient suivi, l'air de rien, cet échange avec intérêt.

Il se faisait tard. Derek, qui devait partir tôt le lendemain matin à destination de Hong Kong, un trajet d'une trentaine d'heures en train, dit au revoir à Gao et à son oncle.

Il venait à peine de sortir du *Zheng Yi* qu'il eut l'impression d'être suivi, de loin d'abord, puis de plus en plus près.

Il hâta le pas.

Les ruelles du *houtong* étaient désertes à cette heure tardive et, en voulant faire faux bond à celui qui le suivait, Derek, sans trop s'en rendre compte, s'était enfoncé de plus en plus profondément dans ce dédale de rues grisâtres, mal éclairées et si étroites qu'il avait parfois peine à circuler. Au fur et à mesure qu'il avançait, il avait l'impression de se retrouver dans un cul-de-sac où s'entassait un véritable bric-à-brac de bicyclettes, de cuvettes, de cordes à linge, de meubles et de literie. Les rues se ressemblaient toutes et semblaient ne mener nulle part.

Les pas continuaient de résonner et de se rapprocher dans le silence de la nuit.

Puis, au tournant d'une ruelle, il se retrouva tout à coup face à face avec un individu, dont Derek pouvait à peine deviner les traits dans la nuit, qui fonçait sur lui, une arme à feu à la main. Il n'eut pas le temps de réagir que déjà son agresseur lui enfonçait le canon de son revolver dans les côtes.

— Le médaillon ! Ton médaillon ! *Yangguize !* Diable d'étranger ! vociféra l'individu, tout en balayant du regard les alentours, sur un ton qui ne laissait place à aucune ambiguïté.

Derek, sous l'effet de surprise, s'arrêta net. Ces quelques secondes lui parurent interminables. C'était comme si, tout à coup, sa vie basculait.

Mais le temps de se ressaisir et l'effet de choc passé, il jaugeait déjà son agresseur. Sans doute avait-il perçu une certaine hésitation dans son regard et compris que si l'individu ne tenait pas à faire trop de bruit à cette heure tardive dans une ruelle où des dizaines, voire des centaines de gens vivaient en rangs serrés, il avait, de son côté, tout avantage à attirer l'attention s'il voulait s'en sortir.

Il n'avait, jugea-t-il en une fraction de seconde, rien à perdre. Il réagit donc comme il n'aurait jamais cru pouvoir le faire en pareilles circonstances et reprit l'initiative.

— Laisse-moi ! cria Derek à pleins poumons en sentant une certaine hésitation de la part de son agresseur.

— Laisse-moi ! répéta-t-il en criant plus fort.

Déjà quelques chaumières s'éclairaient et des portes donnant sur la ruelle commençaient à s'ouvrir. Derek n'était plus seul. Même s'il savait qu'il ne pouvait pas vraiment compter sur le secours des habitants de ce *houtong*, il avait au moins réussi à déstabiliser son adversaire et à lui rendre la vie plus difficile. L'homme jeta un coup d'œil rapide autour de lui, proféra quelques jurons à l'adresse de Derek et disparut dans la nuit.

Derek prit ses jambes à son cou et s'empressa de sortir de ce quartier où seul le bruit des rats qui faisaient les poubelles brisait désormais le silence de la nuit. Parvenu à une rue qui menait au centre-ville, il s'engouffra dans un taxi et rentra à l'hôtel où il partageait une chambre-dortoir avec d'autres routards.

Décidément, le médaillon qu'il portait suscitait beaucoup trop d'intérêt.

La nuit lui sembla bien longue en attendant, à défaut de pouvoir dormir sur ses deux oreilles, le moment de se rendre à la gare, d'acheter quelques soupes aux nouilles séchées pour la route et de monter à bord du train pour Hong Kong où, espérait-il, il arriverait à temps pour participer aux célébrations du Nouvel An chinois.

Chapitre 7
Le Nouvel An chinois

Hong Kong, Chine

En Chine, le train, surtout pour les longues distances, est le moyen de transport à privilégier pour vivre l'Empire du Milieu et le quotidien de ses habitants. Les Chinois, habitués à vivre en rangs serrés, que ce soit en privé ou dans les endroits publics, s'accommodent bien de la promiscuité qui prévaut dans les wagons. Il ne faut pas avoir peur de prendre un bain de foule et de jouer du coude lorsqu'on décide d'opter pour ce moyen de transport, que ce soit au guichet lors de l'achat de son billet, dans la salle d'attente de la gare ou au moment de monter dans le train.

Une fois à bord, il faut apprendre à vivre avec les odeurs d'humanité qui émanent des toilettes, les raclements de gorge suivis de crachats bien sentis, la fumée secondaire de tous ces fumeurs invétérés et le sapement des passagers qui mangent, le nez enfoui dans leur bol de soupe aux nouilles.

La vue de Hong Kong, de cette mégalopole à la verticale, qui miroite au soleil le jour comme un bijou dans un écrin de mers et de montagnes et qui scintille de tous ses feux la nuit, ne laisse personne indifférent. Hong Kong a une sorte d'identité entre deux mondes. Si, pour certains, c'est avant tout un grand centre commercial et un endroit pour faire des affaires, pour Derek, toujours à l'affût d'expériences sortant de l'ordinaire, c'était un dédale de ruelles et de marchés de toutes sortes, un bain de foule incroyable et une sollicitation incessante de vendeurs de tout acabit, une société de consommation qui faisait appel à tous les sens à la fois et faisait oublier le reste.

Cette ambiance était encore plus infernale au Star Ferry Terminal dans le contexte des célébrations du Nouvel An, soulignant le premier jour de la première lune dans le calendrier chinois, alors que Hong Kong devenait, comme si l'ex-colonie britannique avait besoin de ce prétexte pour l'être encore plus, une immense foire commerciale. Si le temps s'arrêtait à Hong Kong lors des fêtes du Nouvel An, c'était pour mieux relancer ses affaires sitôt les célébrations terminées.

Le Star Ferry Terminal est la plaque tournante de Hong Kong. C'est l'endroit où on avait suggéré à Derek de se présenter, lors de son passage au marché aux puces de Pékin, pour entrer en contact avec un certain Ajay. Or, comme il n'avait pas vraiment l'intention de vendre son médaillon et de provoquer encore davantage le destin, il avait décidé, une fois les fêtes du Nouvel An terminées, de poursuivre sa route sans vraiment chercher à rencontrer ce mystérieux personnage, et ce, peu importe ce qu'il aurait pu avoir à lui dire. Ayant encore en mémoire ses mésaventures à la sortie de l'opéra chinois de Pékin, il préférait se faire discret. Mais le mal était fait.

Derek, sac au dos, faisait signe à un chauffeur de taxi sur Nathan Road lorsqu'on l'interpella.

— Tu as quelque chose pour Ajay, dit l'homme d'âge mûr d'origine indienne, d'un ton autoritaire. Ajay veut te rencontrer.

L'homme se faisait insistant et, comprenant que Derek n'avait aucunement l'intention de se plier à ses exigences, l'agrippa par le bras.

Ne faisant ni une ni deux, Derek, qui avait pris de l'assurance et s'était en quelque sorte aguerri au fil de ses mésaventures des derniers mois, repoussa son agresseur d'un coup de pied bien senti dans le bas-ventre, obligeant ce dernier à laisser tomber l'objet contondant qu'il tenait à la main. Il ouvrit la portière arrière du taxi, plongea tête première sur la banquette pour pouvoir s'y engouffrer rapidement avec son sac sur le dos et cria au chauffeur d'un ton non équivoque : *Let's go !* Le chauffeur démarra la voiture sur-le-champ, laissant l'agresseur bredouille au milieu de Nathan Road, pendant que Derek, le temps de s'asseoir et de fermer la portière, reprenait ses esprits.

— Vite ! ajouta Derek, en jetant un coup d'œil rapide en arrière, au ferry de Macao.

Il faisait déjà nuit et les lumières de Nathan Road et des rues donnant sur cette grande artère commerciale scintillaient déjà de tous leurs feux. Quelques fêtards traînaient encore ici et là avec leurs dragons en papier dans les rues du centre-ville en quête de clients désireux de se payer une danse du dragon susceptible de leur porter chance pour la prochaine année.

Si Derek ne remettait pas en question sa façon de voyager, et ce, malgré les risques qui y étaient associés, il allait devoir apprendre à se tenir sur ses gardes et surtout essayer de comprendre pourquoi son médaillon était l'objet de tant de convoitises.

Chapitre 8
Corps et âme

Le Triangle d'or, Laos

Plus Derek s'enfonçait dans la Chine des minorités ethniques qui occupent tout le sud-ouest du pays, plus les routes laissaient à désirer, moins le coût de la vie était élevé et plus on prenait le temps de vivre.

Loin de Hong Kong, hors des sentiers battus, les gens n'avaient rien à vendre, un indice qui ne trompait pas pour le routard inconditionnel qu'il était devenu. Les contacts devenaient plus spontanés, plus naturels et plus authentiques.

Dans les régions reculées de la Chine, le transport s'effectue souvent à bord d'autocars qui ont dépassé leur durée de vie et qui se transforment rapidement avec fruits et légumes, volailles, cochons et tout le reste en de véritables marchés sur roues.

Plus au sud, la forêt devient encore plus dense, les routes plus difficiles et les frontières de plus en plus incertaines. C'est le pays du Mékong qui, après avoir pris sa source et dévalé les pentes de l'Himalaya, arrose le Triangle d'or avant de s'assagir un peu et de prendre sa vitesse de croisière au Laos, s'élargir considérablement et créer des milliers d'îles en poursuivant sa route en cascades jusqu'au pays des Khmers et, après avoir franchi la frontière du Vietnam, s'en aller dans toutes les directions pour former, avec ses nombreux embranchements, un immense delta qui arrose tout le sud du pays des Viets avant de se jeter dans la mer de Chine.

Pour les peuples qui vivent isolés au cœur du Triangle d'or, le Mékong est une porte ouverte sur le monde extérieur. C'est l'élément unificateur de cette région située au-delà des frontières officielles. Le Mékong fixe les populations, irrigue leurs cultures et assure leurs déplacements.

Région montagneuse d'à peine un million d'habitants, le Triangle de l'opium, enclavé entre le géant chinois et les plaines surpeuplées d'Asie du Sud-Est, occupe une place à part. C'est une région où il n'y a rien à voir, diraient certains, mais où, pour Derek, tout était à vivre.

À Muang Sing, au Laos, porte d'entrée du Triangle de l'opium depuis le Yunnan en Chine, les femmes méos sont vêtues de blouses et de pantalons noirs rehaussés de bleu et de rose, les femmes yaos sont coiffées d'un grand turban noir et portent un manteau noir d'apparat au col rouge, et les femmes akhas portent des coiffes d'argent. Les jeunes filles, chargées de bijoux, ont des allures de princesses, et les bébés, au crâne nu et aux yeux bridés, ressemblent à des bouddhas et semblent, avec leurs grands yeux ébahis et sereins, n'avoir plus rien à apprendre de la vie. Ils vivent comme hier, comme toujours, hors du temps.

À Luang Nam Tha, Derek trouva un piroguier qui devait lui permettre, à la faveur de la saison des pluies, de descendre le cours de la rivière Nam Tha jusqu'à Huay Xai, aux abords du grand fleuve Mékong. Un autre bateau l'amena ensuite jusqu'à Luang Prabang, au cœur du Laos.

C'est à l'aube, alors que Luang Prabang dort encore, qu'on peut le mieux apprécier l'ambiance particulière de ce gros village et vivre, en quelque sorte, l'expérience de cette Rome bouddhiste.

Le coq n'a pas encore chanté que déjà les pagodes s'animent et les moines s'affairent à faire leurs ablutions matinales et à revêtir leur plus belle robe couleur safran.

Puis, comme si le signal était donné on ne sait d'où, des centaines de moines au crâne rasé, une écuelle sous le bras, sortent des pagodes, les plus âgés ouvrant la marche et les plus jeunes, parfois retardataires et à l'allure plus désinvolte, suivant derrière. Ils vont pieds nus au-devant des gens, comptant jour après jour sur la générosité de tous pour leur riz quotidien.

Si chaque groupe de moines semble avoir un circuit planifié dans les rues de la ville, plusieurs dizaines d'entre eux, voire une centaine, peuvent se retrouver au même endroit en même temps aux abords des marchés qui commencent à peine à s'animer à cette heure du jour. Une fois leur écuelle remplie de riz ou d'autres aliments préparés à leur intention, ils retournent à leur port d'attache.

Derek avait l'impression de vivre, en étant témoin de cette sortie quotidienne, un moment privilégié, probablement le plus intense de la journée, qui fait de Luang Prabang un endroit pas comme les autres. La quête des moines, tôt le matin, donne le ton à cette ville et lui confère une ambiance d'éternité.

Pour les bouddhistes, remettre des offrandes aux moines permet d'accumuler des mérites et la somme de ces mérites assure une vie meilleure dans le futur. Qui sait, après bien des vies d'efforts assidus et de réincarnations successives, ils pourront s'affranchir des forces du karma et atteindre enfin le nirvana, cet état de libération qui, à l'exemple de Bouddha, transcende la vie et la mort.

Aux yeux d'un bouddhiste, l'acte le plus méritoire et donc le meilleur moyen d'accéder à ce but ultime consiste à se faire moine. Le rituel, ou *buat naag,* entourant l'entrée au monastère, une cérémonie à laquelle Derek avait été invité à assister dans un village situé dans les montagnes non loin de Luang Prabang, se déroule en présence des parents et amis. Après s'être fait raser le crâne et les sourcils en signe de détachement et s'être fait rincer la tête en guise de purification, Somsok, un jeune Laotien d'une vingtaine d'années, que Derek avait rencontré par hasard quelques jours plus tôt, pouvait, après avoir jeté des pièces de monnaie et des fleurs aux gens du village pour symboliser son renoncement aux biens de ce monde, vêtir sa nouvelle robe safran et être accueilli au temple par les moines. Il allait pouvoir concentrer sa vie à la méditation et à l'apprentissage de la maîtrise de soi, la générosité des gens pourvoyant à ses besoins primaires comme le boire et le manger et fournissant les fonds nécessaires à l'entretien du temple.

Derek avait été adopté, pour ainsi dire, par la famille de Somsok qui avait vu dans le passage de cet étranger un bon présage. Même si la lutte pour la survie prenait toute la place dans ces régions reculées, on n'avait pas moins le sens de l'accueil et de la fête.

Derek allait observer une coutume particulière au Laos, le *baci,* une cérémonie qui marquait tout événement de la vie: mariage, naissance, arrivée ou départ d'un ami, etc. Le but de la cérémonie, présidée par les anciens du village selon une hiérarchie qui lui échappait, était de rappeler les trente-deux *khouanes* (âmes) correspondant aux différentes parties du corps afin qu'elles forment un tout cohérent.

Après les incantations d'usage proférées par les anciens, les *khouanes,* qui auraient pu se disperser avec le temps, allaient pouvoir réintégrer l'enveloppe charnelle. Serrés les uns contre les autres autour de Derek et de Somsok comme pour leur donner un bain de foule, les gens du village, dans le but de retenir leurs *khouanes,* fixèrent des ficelles à leurs poignets, un peu comme on attache une ficelle à un doigt pour ne pas oublier... pour que Derek n'oublie jamais l'accueil reçu.

Le *baci* est toujours un prélude à la fête.

La présence de Derek servant de prétexte, on sortit la jarre de *lau loa,* communément appelée «bière de riz», qu'on avait pris soin, quelques jours auparavant, de remplir d'eau puisée à même le ruisseau à proximité du village, d'y ajouter riz et levure, et de boucher le tout d'une galette de boue. Une fois la cérémonie du *baci* terminée, on piqua une paille de bambou dans la galette de boue pour y boire à même la jarre à tour de rôle.

La fête se poursuivit tard dans la nuit.

Chapitre 9

Dans le labyrinthe du delta du Mékong

Can Tho, Vietnam

Après avoir dit au revoir à ses hôtes, Derek reprit la route, les poignets bien ficelés en guise de porte-bonheur, rassuré sur le fait que le médaillon qu'il avait en sa possession ne lui apportait pas que des ennuis.

Au sud du Vietnam, le Mékong est omniprésent. L'embouchure de ce fleuve est un mélange de terre et d'eau où rivières et canaux s'entremêlent pour former un grand réseau de communication. Là où les canaux les plus importants convergent, là où la terre prend le dessus sur l'eau, on a érigé des villages, des villes même.

Saigon, située dans le delta du Mékong et rebaptisée Ho-Chi-Minh-Ville en l'honneur de *Bai Ho*, l'oncle Ho, est, comme d'autres villes du Sud-Est asiatique, envahie par plus d'un million de motos quotidiennement.

Monter à l'arrière d'un de ces engins est sûrement le moyen le plus rapide et le moins cher de se déplacer. C'est une façon de participer à cette frénésie urbaine qui consiste à se frayer un chemin dans la multitude de motos qui se partagent les grandes artères de la ville. On ralentit, bien sûr, aux intersections, mais à peine, le temps de jauger les autres, de se faufiler à coups de klaxon, et le tour est joué. Chacun y trouve son compte. On frise parfois la catastrophe, mais un léger coup de barre permet le plus souvent d'éviter le pire.

Si la ville s'anime autour des marchés, le soir venu, et particulièrement le dimanche soir, c'est le long du boulevard Nguyen Hue, les « Champs-Élysées » de Saigon, et des rues adjacentes du centre-ville que l'action se déroule. Une frénésie collective s'empare alors de la jeunesse de Saigon pendant qu'elle s'adonne au *chay rong rong*, sorte de grande virée, de défoulement collectif où des milliers de jeunes, enfourchant leur moto, se donnent rendez-vous et font le tour pendant des heures de quelques pâtés de maisons sous l'œil inquiet des aînés, mais sous le regard bienveillant de l'oncle Ho, dont la statue occupe une place prépondérante devant l'hôtel de ville.

Au cours d'une de ces virées du dimanche soir, Derek avait rencontré Hoang, de même que d'autres jeunes Vietnamiens qui faisaient partie de son cercle d'amis. Hoang, comme tous les jeunes de sa génération, semblait à des années-lumière des préoccupations de ses parents, qui avaient connu la guerre et toutes ses privations et qui résistaient, propagande communiste aidant, aux valeurs occidentales. Si Hanoi se voulait austère et communiste, Saigon affichait, par sa jeunesse, ses influences occidentales.

Tous s'étaient donné rendez-vous la semaine suivante à Can Tho, au cœur du delta du Mékong.

Pays du chapeau pointu, Can Tho, dont le marché est situé aux abords du Mékong, s'anime du lever au coucher du soleil, et plus tard encore, avec le va-et-vient des embarcations de toutes sortes qui font la navette entre les deux rives. Le soir venu, le grand parc qui longe le fleuve à proximité du marché est le lieu de rendez-vous privilégié des couples, des jeunes familles et des amis qui s'y retrouvent à bicyclette ou à moto, pour profiter de la fraîcheur de la fin du jour. C'est là que le groupe rencontré à Saigon s'était donné rendez-vous.

Une partie du groupe se faisait toujours attendre lorsqu'un policier aborda Derek, qui passait difficilement inaperçu dans la foule.

— Tes papiers ! demanda le policier en anglais sur un ton qui ne laissait place à aucun doute quant à la position d'autorité qu'il occupait.

Un peu décontenancé sur le coup, Derek eut tôt fait de se ressaisir. Il avait appris à se méfier des autorités en place qui abusaient souvent de leurs pouvoirs pour essayer de prendre les étrangers de passage en défaut et de leur soutirer de l'argent. Mal payés, les représentants de l'ordre voyaient souvent dans ces étrangers un moyen facile d'arrondir leurs fins de mois.

Éternel adolescent, Derek avait toujours eu un peu maille à partir avec l'autorité, ce qui expliquait en partie ce non-conformisme qui l'habitait et ce besoin qu'il avait eu de prendre le large. Son périple autour du monde s'inscrivait dans cette quête d'indépendance et ce besoin de faire les choses autrement. Ce face-à-face avec un digne représentant de l'ordre était, de fait, un plaisir à peine dissimulé, comme un défi à relever, un pied de nez au système.

— J'ai laissé mes papiers à l'hôtel, prétexta Derek, qui n'était pas dupe et espérait sinon amener son interlocuteur à lâcher prise, du moins trouver une idée qui lui permettrait de s'en sortir.

— C'est illégal, rétorqua le représentant de l'ordre, le visage impassible comme si ses traits avaient été taillés dans le roc, de se promener au Vietnam sans papiers d'identité.

Hoang, témoin de la scène, ne disait mot, mais réfléchissait lui aussi à la façon de tirer Derek de ce mauvais pas. Loin d'être un enfant de chœur, Hoang, d'après ce que Derek avait pu comprendre de son passé, avait eu, plus souvent qu'à son tour, maille à partir avec les autorités. Il était donc en terrain connu.

— Je n'ai pas beaucoup d'argent sur moi, répliqua Derek, qui préférait aller droit au but et en finir rapidement, en sortant un billet de 10 000 dongs de sa poche, l'équivalent d'à peine un dollar.

Visiblement insatisfait de l'offre de Derek, le policier se tourna vers Hoang pour lui faire comprendre, en vietnamien cette fois, qu'il mettait la barre beaucoup plus haut.

De toute évidence, l'homme en uniforme n'avait pas l'intention de lâcher prise.

— Tu as des bijoux? demanda le policier, qui salivait déjà à l'idée de ce qu'il pourrait en tirer. Ta montre, ou encore ce que tu portes au cou.

La conversation semblait plutôt mal engagée pour Derek, qui n'avait pas l'intention de vider ses poches et surtout pas de se défaire de son médaillon.

Entre-temps, Hoang avait eu une idée. Il fit signe à Derek de gagner du temps pendant qu'il allait au-devant des autres qui arrivaient.

Cuong, Dong et Tung, et quelques autres jeunes qui s'étaient joints au groupe eurent tôt fait de comprendre le plan de Hoang. Ils allaient faire diversion, pour se séparer ensuite rapidement et rejoindre Derek et Huang sur les rives du fleuve.

Une bagarre éclata donc à l'initiative du groupe, ce qui ne manqua pas d'attirer l'attention du policier qui n'eut d'autre choix que d'intervenir, donnant ainsi à Hoang et à Derek l'occasion rêvée de filer à l'anglaise.

— Vite! dit Hoang en faisant signe à Derek. Suis-moi!

Derek, comprenant que c'était le moment ou jamais, profita de la cohue qui régnait pour se perdre dans la foule avec Hoang et se retrouver à bord d'une de ces embarcations qui faisaient la navette entre les deux rives du fleuve.

Ils purent ainsi facilement, une fois de l'autre côté du Mékong, longer à leur guise et en toute quiétude la rive en direction de Cai Rang et retrouver le reste du groupe dans une de ces maisons sur pilotis qui garnissaient les berges du fleuve, le temps de se faire oublier des autorités de Can Tho et de faire la fête, jusque tard dans la nuit, à l'alcool de riz.

Chapitre 10
L'habit ne fait pas le moine

Angkor Wat, Cambodge

Derek, après un bref arrêt à Saigon, le temps de vérifier ses courriels dans un café Internet, comme il le faisait régulièrement lorsqu'il était de passage dans une grande ville, reprit la route pour Phnom Penh, au pays des Khmers.

Remonter la rivière Tonlé, depuis Phnom Penh jusqu'à Phnom Krom près d'Angkor Wat, permet de découvrir un pays de terre et d'eau avec ses villages lacustres et ses maisons de roseaux et de bambou sur pilotis. On mange, on dort, on joue et on élève ses poules et ses cochons sur l'eau. On vend ses légumes en allant de maison en maison, on va à l'école, on fait ses courses... en bateau. On vit au fil de l'eau.

Angkor compte une centaine de monuments et de multiples canaux, digues et réservoirs qui assurent, aujourd'hui comme hier, la survie de ses habitants.

Toute la vie qui y règne ajoute à l'intérêt d'Angkor. On élève encore son bétail et ses poules aux abords des temples, on pêche dans ses réservoirs, on se baigne dans ses canaux, on brûle des bâtons d'encens dans le temple et on assure le nécessaire aux moines qui y vivent. Le grand temple d'Angkor est toujours vivant. Érigé à la gloire du dieu hindou Vishnou il y a mille ans, Angkor Wat est aujourd'hui un lieu de culte bouddhiste.

Derek avait décidé d'accepter l'invitation de partager le quotidien des moines qui vivaient à Angkor, le temps de mieux apprécier ce site exceptionnel. De nombreux estropiés, victimes de mines antipersonnel de l'époque des Khmers rouges et de Pol Pot, vivaient également à proximité du temple, comptant, comme c'était le cas des moines, sur la générosité des pèlerins et des visiteurs qui fréquentaient les lieux.

Vêtu d'un sarong serré autour de la taille à la façon d'une jupe, comme le veut la tradition cambodgienne, et coiffé d'un *krama*, une écharpe à carreaux qu'on porte pour se protéger du soleil, dont on fait un baluchon qu'on remplit de victuailles au retour du marché ou encore qu'on noue autour de la taille après la baignade, Derek pouvait explorer Angkor à sa guise et y découvrir les bas-reliefs inspirés de la tradition hindoue qui, espérait-il, allaient lui permettre de mieux comprendre la portée de son médaillon.

Sok, un jeune moine cambodgien, l'accompagnait dans sa découverte de ce grand site archéologique. Fasciné par cet étranger de passage, Sok voyait Derek comme une fenêtre ouverte sur le monde, une occasion de sortir du quotidien qu'il avait connu au monastère dès son plus jeune âge.

C'est lui qui avait d'ailleurs proposé à Derek, lors d'une première visite à Angkor, de venir s'installer au temple. De son côté, il allait profiter de la présence du jeune routard pour fignoler son anglais et faciliter l'accès de ce dernier à l'ensemble du site.

La chaleur et l'humidité au milieu de la jungle luxuriante qui entourait Angkor et les risques de mettre le pied sur une mine antipersonnel rendaient toute excursion difficile et périlleuse. Derek avait donc avantage à être accompagné et à ne pas sortir des sentiers battus. Qui plus est, Sok, qui connaissait bien la mythologie hindoue et partageait l'intérêt et la curiosité de Derek pour ce qui était du sens à donner à son médaillon, pouvait être d'une aide précieuse.

Comme partout ailleurs dans le monde bouddhiste, tout jeune homme au début de la vingtaine se fait un devoir de passer un certain temps au temple. Mais tous n'ont pas la vocation; pour certains, ce n'est qu'une formalité.

Derek allait apprendre à ses dépens que l'habit ne fait pas le moine.

Les conditions climatiques difficiles et le voyage avaient affaibli le jeune routard qui éprouvait, avant même son arrivée à Angkor, des problèmes de santé. La fièvre, qui l'oppressait depuis quelques jours et qui le clouait à une natte dans un de ces refuges humides à l'ombre du temple servant d'abri aux moines, laissait croire, malgré les précautions et les doses de quinine qu'il prenait quotidiennement, qu'il faisait une crise de paludisme.

Lorsqu'il se réveilla un matin, au retour des moines de leur quête de nourriture, sa ceinture porte-documents et tout son contenu (passeport, carnet de vaccination, carte internationale d'étudiant, chèques de voyage) qui ne le quittait jamais et qu'il gardait sous le *krama* qui lui servait d'oreiller, avait disparu. Derek était sous le choc. C'était comme si son rêve de faire le tour du monde était tout à coup compromis. Cet incident venait tout à coup briser son élan et tout remettre en question.

Mis en confiance à son arrivée au temple, Derek avait peut-être fait preuve d'imprudence en baissant la garde. Sok avait bien mené sa petite enquête, mais sans succès. Un des moines avec qui il partageait le quotidien à Angkor devait sûrement être dans le coup.

Alors qu'un groupe de moines, informés de ce qui s'était passé, s'était formé, chacun y allant de ses hypothèses, Derek, fondant peu d'espoir de retrouver ses précieux documents, réfléchissait déjà aux solutions de rechange.

Il lui semblait difficile, compte tenu des contrôles routiers entre Siem Reap, près d'Angkor, et Phnom Penh, la capitale du

Cambodge, de prendre cette route sans papiers. Qui plus est, il n'était pas certain, même s'il parvenait à se rendre à Phnom Penh, de pouvoir obtenir un nouveau passeport rapidement puisque le Canada n'avait pas d'ambassade dans la capitale cambodgienne.

Après discussion, alors que chacun y allait de ses suggestions, Derek, qui avait encore un peu d'argent liquide, se laissa convaincre de traverser illégalement la frontière qui séparait le Cambodge de la Thaïlande et de se rendre à Bangkok, où, pensait-il, il serait plus facile de mettre de l'ordre dans ses affaires.

Le matin du départ, Sok amena Derek au Bayon, un des principaux temples d'Angkor, pour y déposer une offrande et s'attirer ainsi la faveur du ciel.

— *Lo ta!* firent Sok et Derek en inclinant légèrement la tête en signe de respect en direction du vieux moine qui méditait, assis sur une natte en position du lotus devant une représentation de Bouddha, et qui agissait à titre de chef spirituel à Angkor.

L'ascète inclina machinalement la tête en guise de réponse.

Il rencontrait Derek pour la première fois, mais, de toute évidence, il avait entendu parler de ses mésaventures des derniers jours.

— Ce ne sont pas tous les hommes, dit d'emblée le vieux moine, le crâne rasé et vêtu de la robe safran qui laissait entrevoir un corps squelettique marqué par le jeûne et les privations, qui ont appris à bien gérer leur liberté et à respecter les autres, comme pour s'excuser de ce qui s'était passé. Nous sommes tous, en quelque sorte, en période d'apprentissage dans cette vie et nous espérons tous la victoire du bien sur le mal pour nous-mêmes et ceux qui nous entourent, mais...

En faisant référence au médaillon que portait Derek, le moine enchaîna :

— Tu as de la chance, d'une certaine façon, d'avoir été choisi par les dieux, si j'ai bien compris les rumeurs qui circulent à ton sujet. Nous ferons tout pour réparer le tort qui t'a été fait et te permettre de poursuivre ta route sans encombre. Sok, qui connaît bien la zone tampon entre les deux pays, saura te guider. Sa présence devrait faciliter tes déplacements, au moins pour la partie cambodgienne du trajet. Une fois en Thaïlande, tu seras laissé à toi-même.

Le trajet se fit à moto sur des routes secondaires pour ne pas attirer l'attention des autorités. La dernière partie du parcours se fit à pied en empruntant des pistes jadis utilisées par les Khmers rouges dans leurs déplacements clandestins des deux côtés de la frontière.

Après plusieurs jours de marche dans un *no man's land* où terre et eau se confondaient et où les rizières occupaient toute la place, Aranya Prathet était enfin en vue. C'était le moment pour Sok de dire au revoir à Derek et de faire demi-tour.

— Au revoir ! dit Derek, un peu triste de mettre fin à ce périple qui lui avait permis d'avoir des contacts privilégiés avec les Khmers de l'arrière-pays.

— Au revoir ! reprit Sok. Prends le *tuk-tuk* jusqu'à Aranya Prathet et, de là, l'autocar plutôt que le train jusqu'à Bangkok, prodigua-t-il comme dernier conseil. Tu auras plus de chance de passer inaperçu auprès des autorités locales.

Derek regarda Sok s'éloigner. Il allait bientôt faire nuit. En entrant de plain-pied en Thaïlande, Derek prit conscience tout à coup de toute la portée de sa décision. Il était bel et bien dans l'illégalité.

Chapitre 11
Rendez-vous sur Kao San Road

Bangkok, Thaïlande

Derek avait installé ses pénates sur Kao San Road, dans un quartier que certains qualifieraient de mal famé au centre de la capitale thaïlandaise. Kao San Road avait réussi à éviter, comme par miracle, le pic des démolisseurs pour devenir, avec les années et malgré ses allures délabrées, un des trois rendez-vous privilégiés des routards en Asie avec Kuta Beach à Bali, en Indonésie, et Katmandou au Népal : les trois « K ».

Les routards trouvent sur Kao San Road un lit pour quelques dollars, mais surtout, ils sont entre eux. Les services offerts sur Kao San Road sont tellement bien adaptés à leur monde et à leur budget que Derek aurait pu limiter son expérience de Bangkok aux restaurants, agences de voyage et boutiques de toutes sortes qui fleurissent sur cette rue connue de tous les globe-trotters de la planète. Kao San Road, c'est *backpackerland*, le pays des routards !

Derek n'avait pas l'habitude de traîner trop longtemps dans les grandes villes, mais il allait profiter de son séjour à Bangkok pour mettre de l'ordre dans ses affaires. S'il avait réussi à convaincre, faute de pouvoir présenter une pièce d'identité, le responsable du Marco Polo Guest House, un petit hôtel pour routards ayant pignon sur rue sur Kao San Road, qu'il avait perdu son passeport à son arrivée à Bangkok et qu'il allait normaliser sa situation au cours des prochains jours, il n'avait pas de temps à perdre.

Les responsables à l'ambassade du Canada à Bangkok acceptèrent également cette version des faits, ce qui allait lui permettre d'obtenir un nouveau passeport avec un tampon d'entrée en Thaïlande. Pour remplacer son carnet de vaccination, un document souvent exigé à la frontière de certains pays, il se présenta à une clinique américaine où on accepta de lui remettre un nouveau carnet sans exiger qu'il refasse les vaccins. Il put également, à proximité de Kao San Road, trouver quelqu'un qui, en échange d'une photo et de quelques dollars, allait lui remettre une carte internationale d'étudiant en bonne et due forme, un document souvent fort utile pour obtenir des réductions dans certains musées, sites archéologiques, etc.

Bangkok, une plaque tournante dans cette région du monde, était également un bon endroit pour obtenir le remboursement des chèques de voyage volés ou perdus. On était un peu méfiant face aux jeunes routards qui étaient sur la route depuis plusieurs mois, comme c'était le cas pour Derek, et qui pouvaient être tentés de se départir de leurs chèques de voyage sur le marché noir pour en tirer un certain profit et obtenir un remboursement intégral par la suite, mais on ne posait pas trop de questions pour une première réclamation. On acceptait sans doute que les conditions de voyage de ces jeunes les rendaient plus à risque de perdre ou de se faire voler leur argent.

Si bon nombre de jeunes routards préfèrent se retrouver entre eux sur Kao San Road, reprenant tout compte fait, avec des moyens plus modestes, le modèle de leurs aînés qui optent pour une façon de voyager en groupe et bien encadrés au risque de perdre ce contact avec la population locale, Derek était beaucoup trop indépendant, voire solitaire, pour y trouver son compte. N'ayant aucun intérêt pour la vie de groupe et n'étant pas toujours ouvert aux compromis que cela pouvait exiger, il appréciait l'anonymat de la foule et préférait se laisser porter par le hasard des rencontres, s'assurant ainsi de moments privilégiés avec les gens du pays.

Derek, après avoir mis de l'ordre dans ses affaires et quitté Kao San Road, s'était donc retrouvé au temple de Mahathat, situé aux abords du fleuve Chao Phraya, comme s'il n'avait pas tiré de leçon de son séjour au temple d'Angkor, au Cambodge.

Beaucoup de jeunes Thaïlandais acceptent de se faire moines pour un certain temps, mais ils ne renoncent pas tous à leur vie précédente, si bien que des jeunes désœuvrés, des amis de ces moines du dimanche, vivotaient autour du temple et profitaient de la générosité des gens du quartier qui, tôt le matin, apportaient nourriture et offrandes pour subvenir aux besoins des moines.

En compagnie de quelques-uns de ces faux moines, Derek partit un soir en goguette faire la tournée des bars pour se retrouver ensuite, non pas à Patpong, le quartier mondialement connu des touristes comme un haut lieu de la prostitution en Thaïlande, mais dans un de ces bordels mal famés fréquentés exclusivement par les Thaïlandais sur l'autre rive du Chao Phraya.

Si Derek vit, dans un premier temps, cette incursion dans les bas-fonds de Bangkok avec Patjon, Kal et Narong, comme une chance inespérée de sortir des sentiers battus et de vivre la Thaïlande autrement, il comprit rapidement qu'on ne l'avait pas amené à cet endroit uniquement à titre d'observateur. Derek était leur hôte et il devait choisir, parmi toutes les femmes qui lui étaient présentées, celle qui allait, pour quelques dollars à peine, assouvir ses besoins sexuels.

Derek était mal à l'aise face à une telle démarche, conscient qu'il était d'incarner cet « homme blanc » qui venait profiter et abuser de la situation précaire dans laquelle se trouvaient les gens du pays, mais il ne voulait surtout pas déplaire à ses hôtes qui visiblement ne comprenaient pas ses hésitations et le dilemme dans lequel il se trouvait et n'auraient pas accepté un refus. Derek, à défaut d'avoir trouvé une porte de sortie, décida de jouer le jeu.

Alors que de jeunes Thaïlandaises défilaient dans la pièce exiguë et moite où ils s'étaient regroupés, il devint évident que Derek ne trouverait pas chaussure à son pied. Si ces jeunes filles, la plupart venues de la région de Chiang Mai au nord du pays, se mettaient volontiers au service d'une clientèle thaïe, elles n'en avaient pas moins leur mot à dire sur qui pouvait ou non partager leur lit. Or, il semblait bien qu'aucune d'entre elles, contrairement aux prostituées de Patpong, n'avait eu d'Occidentaux comme clients par le passé, et l'idée d'avoir pour partenaire un *farang*, comme on appelle les étrangers en Thaïlande, qui plus est, un gars portant une barbe de plusieurs jours et les cheveux longs, ne leur plaisait guère.

Patjon, Kal et Narong, mal à l'aise face à la tournure des événements, tentèrent de faire pression auprès du souteneur, mais en vain.

Derek y vit une porte de sortie, s'empressa de rassurer ses hôtes et de sortir de cet endroit où on suffoquait et où il préférait, de toute façon, ne pas être vu.

Chapitre 12
Chez les gitans de la mer

Ko Pannyi, Thaïlande

Après quelques jours de farniente sur les plages de la région de Phuket, Derek décida de quitter le groupe de routards qui s'était formé lors du trajet en autocar depuis Bangkok pour aller à la rencontre des «gitans de la mer» dans la baie de Phang Nga.

Située à une centaine de kilomètres au nord de Phuket, la baie de Phang Nga offre un paysage à couper le souffle. C'est comme si la chaîne de montagnes qui sépare un peu plus au nord la Thaïlande et le Myanmar avait perdu sa raison d'être et décidé, en désespoir de cause, de se jeter littéralement à la mer, laissant apparaître une multitude de pitons calcaires recouverts de végétation qui émergent ici et là.

Au pied de Ko Pannyi, un de ces pitons rocheux situés à environ une heure de bateau à moteur de Phang Nga, quelques centaines de gitans de la mer, originaires des îles de la mer d'Andaman dans l'océan Indien, vivent depuis des générations au milieu de ces montagnes qui sortent du brouillard dans un monde sans terre, comme tiré tout droit du film *Waterworld* avec Kevin Costner.

Tout le village, blotti à l'ombre de Ko Pannyi, est bâti sur pilotis. Construites surtout de bois et de tôle, les maisons comptent une grande pièce à l'avant qui sert à la fois de cuisine, de salle familiale et de dortoir pour les nombreux enfants. La façade de la maison est ouverte sur l'extérieur, ce qui laisse bien peu de place pour l'intimité. Quelques plantes vertes, un chat, un oiseau en cage et quelques poules qu'on prend soin d'attacher par une patte pour limiter leurs déplacements et éviter qu'elles ne tombent à l'eau complètent le décor.

À Ko Pannyi, on vit surtout de la pêche, mais on tient également, depuis la principale pièce de la maison qui donne sur le trottoir, une épicerie, une quincaillerie ou un salon de barbier. On récupère l'eau de pluie qui coule des toits de tôle pour cuisiner et se laver.

C'est devant sa maison, sur le trottoir qui est l'unique voie de communication dans le village, qu'on fait sa toilette matinale et qu'on prépare le petit-déjeuner. Puis chacun vaque à ses occupations.

Le soir venu, alors que les hommes se retrouvent près du quai pour fumer et que les jeunes se regroupent pour flâner comme ils le feraient partout ailleurs sur la planète, les femmes, assises par terre devant leur maison, préparent le repas du soir pendant que les enfants à bicyclette, au grand désespoir des gens plus âgés qui les trouvent bien encombrants, se faufilent à travers les passants et les plats qui mijotent sur le feu.

Bien qu'isolé du reste du monde, on prend le temps, après le repas du soir, de mettre des génératrices en marche pendant quelques heures pour prolonger la soirée et permettre à ceux qui ont déjà les yeux tournés vers le monde terrestre de regarder un peu la télévision avant que tout le village s'endorme pour de bon au clair de lune.

Un premier contact avec les pêcheurs, qui s'affairaient près du quai en fin de journée, permit à Derek de trouver rapidement un gîte pour la nuit. Une famille lui offrit, pour quelques dizaines de baths, le couvert et un vieux matelas à même le plancher de bois dans une pièce qu'il partageait avec les enfants de la maisonnée.

En cette période de l'année, la cueillette des nids d'hirondelle occupait les jours à Ko Pannyi.

Le départ des pêcheurs qui devenaient, le temps d'une saison, des « chasseurs » de nids d'hirondelle, se faisait tôt le matin.

Les pics de calcaire qui baignent dans la baie de Phang Nga sont propices à la formation de grottes, contre les parois desquelles les hirondelles bâtissent leur nid. La substance blanchâtre sécrétée par les glandes salivaires de l'hirondelle et qui contribue à cimenter le nid devient, une fois nettoyée, séchée et mélangée à du bouillon de poulet, un mets très recherché par les Chinois du Sud-Est asiatique et d'ailleurs.

On cueille les nids d'hirondelle une première fois en février et une deuxième fois en mars. Puis on laisse les oiseaux reconstruire leur nid une troisième fois pour assurer la reproduction de l'espèce. Plus tard, une fois que les oisillons ont quitté les lieux, on cueille les nids une dernière fois en mai, avant de plier bagage et de retourner à ses occupations.

Du fond des cavernes, d'où émanent des odeurs de fiente, des échafaudages de bambou, comme suspendus dans le vide, sont les seuls signes apparents laissés par les chasseurs de nids d'hirondelle qui s'adonnent à cette activité au risque de leur vie.

Derek se contentait, lorsqu'il les accompagnait, d'observer en silence et d'aider au chargement des précieux nids.

Au retour d'une de ces excursions dans la baie de Phang Nga, les chasseurs de nids firent escale à la grotte aux mille bouddhas de Wat Suwan Kuha. Une dizaine de moines assuraient l'entretien de ce temple bouddhiste du bout du monde. La simplicité et l'austérité des lieux en faisaient un des temples les plus authentiques et ramenaient aux valeurs essentielles.

— *Savadi!* dit Derek, les mains jointes en s'inclinant devant le groupe de moines qui étaient venus à sa rencontre.

— *Savadi!* répondit le plus âgé des moines, suivi des deux autres, en inclinant la tête à leur tour.

— Les dieux doivent jouer un rôle important dans ta vie pour que tu viennes ainsi jusqu'à nous, ajouta celui qui semblait être en position d'autorité et qui, de toute évidence, n'avait pas souvent l'occasion d'accueillir des visiteurs étrangers.

— Je m'intéresse beaucoup aux différentes croyances et religions, répondit Derek, et peut-être même davantage depuis que des choses étranges et inexpliquées se produisent autour de moi.

— À quoi fais-tu allusion ? reprit le plus âgé des moines pendant que les deux autres retournaient à leurs occupations.

Derek raconta son histoire.

— Tu n'es pas le seul à qui il arrive des choses étranges, rétorqua le moine bouddhiste. Nous avons reçu la visite d'un autre étranger qui semble avoir un lourd karma.

Il invita Derek à le suivre au fond de la grotte aux mille bouddhas dont les murs étaient tapissés de fresques, comme des bandes dessinées relatant les grandes étapes de la vie de Bouddha.

— Hank ! s'exclama Derek, en voyant le jeune routard assis par terre, en position du lotus, le crâne rasé et portant le *dothi* indien. Derek reconnaissait le Hollandais qui avait fait le trajet avec lui sur la Route de l'amitié, de Katmandou à Lhassa, et qu'il soupçonnait d'avoir dérobé son médaillon.

— C'était bien moi, devait admettre Hank en baissant les yeux, au cours de la conversation qui allait suivre entre les deux routards.

En jetant un coup d'œil au cou de Derek, il ajouta :

— Je vois que tu l'as retrouvé. Tu dois avoir un lien bien particulier avec cet objet qui m'a causé tant d'ennuis.

Derek n'en croyait pas ses oreilles.

— Mais de quels ennuis parles-tu ?

— J'ai commencé à faire des cauchemars, dit Hank, le jour même où j'ai pris le médaillon. Rien d'alarmant au début, mais peu à peu les rêves devinrent de plus en plus explicites sur les pouvoirs de ce médaillon, des rêves, que dis-je, des cauchemars mettant en scène des divinités hindoues dont les intentions ne laissaient place à aucune interprétation. Je me réveillais en sursaut, arrivant à peine à sortir de ces scènes d'horreur qui semblaient tirées des plus mauvais films de Bollywood.

— Toi aussi, tu as eu l'occasion de voir certains de ces films indiens dans lesquels les héros doivent composer avec les divinités du panthéon hindou...

— Et toutes ces divinités étaient bien présentes dans mes rêves, rétorqua Hank. Comme toi d'ailleurs. J'ai compris que je devais me débarrasser du médaillon, et lorsqu'un marchand tibétain du Barkhor, à Lhassa, me proposa de l'échanger contre un vieux moulin à prières, je n'ai pas hésité un seul instant, espérant ainsi conjurer le mauvais sort et étouffer mes remords.

— Il semble que tu n'aies réussi à faire ni l'un ni l'autre, renchérit Derek, qui avait toujours un peu de mal à supporter le personnage, puisque le dénommé Ralsang, celui-là même à qui tu as remis le médaillon à Lhassa, est mort peu de temps après et que, de ton côté, tu sembles encore hanté par cette expérience et poursuivi par le destin.

— Je suis content que tu sois là, dit Hank. Tu es le seul qui puisse m'aider à tourner la page.

Après un moment d'hésitation, Hank poursuivit:

— Je me demandais si tu accepterais de m'accompagner aux grottes de Batu, près de Kuala Lumpur en Malaisie... J'ai entendu dire que le *thaipusam*, une grande fête hindoue, avait lieu dans quelques jours.

— Depuis combien de temps vis-tu ici, dans cette grotte? demanda Derek sans vouloir d'emblée accepter l'invitation.

— Je ne sais pas, peut-être une semaine ou deux, tout au plus. Le temps n'a plus vraiment d'importance pour moi.

— Arrête ton baratin! rétorqua froidement Derek, qui n'avait pas l'intention de s'en laisser imposer après ce qui s'était passé. J'ai entendu parler de toi dans l'autocar qui m'amenait de Bangkok à Phuket, ajouta Derek. Tu ne sembles pas être passé inaperçu sur Kao San Road. On te décrivait comme un gars bien étrange.

Ces dernières paroles n'eurent pas l'air d'ébranler Hank, qui ne semblait pas avoir retenu toutes les leçons de ses mésaventures et qui, sous le couvert d'une quête personnelle, cachait un mal de vivre.

Derek accepta tout de même la proposition de Hank même s'il n'avait pas beaucoup d'affinités avec lui et ne le considérerait sans doute jamais comme un ami. Le monde hindou le fascinait, et beaucoup plus depuis qu'il était en possession du médaillon. Le *thaipusam* était une occasion de participer à toutes ces croyances et, qui plus est, Kuala Lumpur était sur sa route.

Derek invita Hank à se joindre aux gitans de la mer qui l'avaient conduit à la grotte aux mille bouddhas pour passer une dernière nuit à Ko Pannyi avant de reprendre la route jusqu'à Kuala Lumpur.

Chapitre 13

Le pardon de Murugan, fils de Çiva

Les grottes de Batu, Malaisie

Situées à quelques kilomètres de Kuala Lumpur, les grottes de Batu sont un lieu de pèlerinage privilégié des hindous.

On y célébrait, à cette époque de l'année, la fin de la période de pénitence appelée *thaipusam.* C'était le moment que Hank avait choisi, dans le cadre de sa démarche initiatique pour le moins inusitée, pour se réconcilier avec les divinités hindoues. C'était sans contredit, en raison des sévices corporels que s'imposaient les pèlerins pour expier leurs fautes, une des fêtes hindoues les plus impressionnantes à laquelle on pouvait assister. Pour Derek, qui se retrouvait dans le monde indien pour la première fois depuis Katmandou, c'était une occasion unique d'en connaître davantage sur le mystère entourant son médaillon.

Tôt le matin, Hank et Derek revêtirent le sarong, une pièce d'étoffe drapée à la façon d'une jupe que portent indifféremment les femmes et les hommes malais autour des reins. Ils s'étaient marqué le front du *dishti,* cette marque distinctive des hindous pour représenter le troisième œil, avant de se joindre à la foule et aux nombreux pèlerins qui suivaient l'image de la divinité transportée sur un chariot tiré par des bœufs jusqu'aux grottes de Batu.

C'était un jour de réconciliation pour les hindous. Ceux qui, après une période de jeûne, souhaitaient tenir les promesses faites à la divinité pour faveurs obtenues se joignaient au cortège. Le corps et le visage transpercés de lames et de pointes métalliques, ou chargés d'un *kavadi*, une structure métallique décorée de fleurs, de fruits, d'offrandes et de représentations de la divinité dont les extrémités des tiges infligeaient des blessures aux porteurs, certains faisaient de cette manifestation religieuse une épreuve d'endurance. La foi seule pouvait donner la force nécessaire pour poursuivre la route jusqu'au bout.

Le rythme des tambours accompagnait le cortège. S'y joignaient également des danseurs qui exprimaient leur foi à leur façon. D'autres encore scandaient leur soutien aux dévots par des *Vale! Vale! Vale!* ou brisaient sur le passage du cortège des noix de coco, à la fois offrandes à la divinité et moyen d'attirer l'attention des mauvais esprits pour éviter qu'ils ne viennent distraire les pèlerins et mettre un frein à leur ardeur.

Au fur et à mesure que Derek et Hank approchaient de la grotte, à laquelle on accédait par un long escalier, la foule se faisait de plus en plus dense. Certains se transperçaient le corps de tiges métalliques, marchaient sur des charbons ardents ou s'étendaient sur des lits de clous, alors que d'autres se contentaient de tendre la main et de profiter de la générosité des gens.

Une fois dans la grotte, les fidèles apportaient leurs offrandes (fleurs, fruits, grains de riz) devant l'autel de la divinité et recevaient en retour, des mains d'un officier du culte, des cendres qu'ils utilisaient pour se marquer le front ou pour se couvrir le visage et le torse. Ils mettaient ensuite les mains au-dessus de la flamme sacrée pour se frotter le cuir chevelu et le visage, afin de s'imprégner de la force, des vertus et des pouvoirs de la divinité.

Ils venaient par milliers expier leurs fautes et demander le pardon de Murugan, le fils de Çiva, créateur de l'Univers, qui était venu sur terre pour combattre le mal. L'atmosphère alourdie par l'humidité du climat tropical, les odeurs du camphre qui nourrissait les feux sacrés devant l'image de la divinité et la fiente des chauves-souris agrippées au plafond des grottes donnaient à ce rassemblement une ambiance surréaliste.

Personne ne semblait, compte tenu de l'animation et de la ferveur qui prévalaient dans la grotte, se préoccuper de la présence de Hank et de Derek qui, portés par la foi ambiante, décidèrent spontanément eux aussi, comme si le geste allait de soi, de s'approcher de la représentation de la divinité et de passer les mains au-dessus de la flamme pour s'imprégner à leur tour de ses pouvoirs.

En s'approchant de l'autel de Murugan, Derek en profita pour interpeller l'officiant et lui montrer son médaillon.

Occupé qu'il était à intercéder auprès de la divinité pour les nombreux pénitents qui se bousculaient, l'officiant fit signe à Derek de s'en référer plutôt à un vieil homme assis en retrait au fond de la grotte.

— *Selamat siang!* dirent en chœur Derek et Hank, en joignant les mains et en s'inclinant en présence du sâdhu.

L'homme à la tignasse et à la barbe hirsutes, la tête et le torse couverts de cendres provenant de l'autel de Murugan et vêtu d'un simple *dothi* blanc, inclina la tête pour toute réponse.

Bien décidé à attirer l'attention du vieil homme, Derek s'accroupit et déposa son médaillon dans la main droite du sâdhu, la main gauche étant réservée aux activités impures dans le monde indien. Leurs regards se croisèrent.

— Où as-tu pris ce médaillon? demanda l'homme que Derek avait finalement réussi à tirer de sa torpeur contemplative.

— À Bénarès, Bénarès la sainte, insista Derek.

— Que sais-tu de ce médaillon? renchérit l'homme.

— Bien peu de choses, enchaîna Derek, sinon qu'il semble faire référence au Ramayana et qu'il aurait des pouvoirs tantôt bénéfiques, tantôt maléfiques.

— L'épopée du Ramayana? Tu connais? ajouta le vieillard.

— Vaguement, dit Derek. Le Ramayana fait référence à la lutte entre le bien et le mal, si j'ai bien compris.

— Très juste, rétorqua l'homme. Le Ramayana met en scène le conflit opposant les dieux et les démons, comme la vie est un champ de bataille entre le bien et le mal. Rama, une incarnation de Vishnou, dut affronter les démons et les forces du mal avant de triompher, appuyé dans son combat par une armée de singes, et d'être couronné roi. L'épopée de Rama est, tout compte fait, à l'image de notre vie de mortels, toujours tiraillés que nous sommes entre le bien et le mal. À chacun de faire les choix qui s'imposent. L'armée de singes symbolise les gens que nous côtoyons et qui peuvent nous aider à réaliser notre karma. Comme certains objets.

— Comme le médaillon, insista Derek.

— Comme le médaillon, reprit l'homme, qui pourrait influer sur le karma de celui qui en est le gardien. Ce qui semble être ton cas, si j'ai bien compris et si c'est la réponse que tu cherchais. Mais pour ce qui est de cerner les pouvoirs réels du médaillon et de déterminer exactement comment tu peux gérer ses pouvoirs, c'est une autre histoire.

En rendant l'objet à Derek, il ajouta :

— Tu es le gardien du médaillon. Le médaillon te le rend bien, j'en suis sûr. À toi de trouver les moyens d'en tirer parti.

De toute évidence, Derek allait devoir continuer à vivre avec une énigme.

— Qu'advient-il de Hank dans tout ça ? questionna Derek au nom de son compagnon de route qui s'était contenté de suivre la conversation en retrait. Hank a été, lui aussi, en possession du médaillon.

— Ton ami n'aurait jamais dû être en possession de ce médaillon, répondit le sâdhu sur un ton sans équivoque. Le médaillon ne peut avoir qu'un seul gardien. Quiconque l'aurait en sa possession sans en être le gardien devrait en payer le prix.

— Est-ce que réparation a été faite et est-ce que les dieux hindous me seront enfin favorables ? osa demander Hank, puisque c'était le but de ce pèlerinage aux grottes de Batu.

— L'avenir te le dira, répondit le sâdhu, mais le pire semble derrière toi.

— Et que me réserve l'avenir ? enchaîna Derek.

— Que te réserve le médaillon, tu veux dire ? rétorqua le vieil homme.

— Oui, ajouta Derek un peu hésitant à poser la question aussi directement.

— Comment pourrais-tu, reprit l'homme, si tu connaissais ton avenir, donner un sens au présent... et vouloir simplement vivre le moment présent ? Ne voudrais-tu pas être déjà ailleurs dans le futur ? Connaître ton avenir, insista encore son interlocuteur, ne t'apportera pas les réponses que tu cherches. Que ferais-tu si tu avais réponse à toutes tes questions ? Quel sens donnerais-tu à ta vie ? Qu'adviendrait-il de cette quête du bonheur qui justifie tes faits et gestes et qui te motive à poursuivre ta route ? Le médaillon que tu portes t'accompagne dans le moment présent et te protège au quotidien. Ton avenir, conclut le sâdhu, sera toujours entre tes mains.

Il se leva comme pour mettre fin à la rencontre.

— Va ! Poursuis ta route ! Tu trouveras réponse à tes questions et un sens à ta vie en temps opportun. Un jour, il faudra bien...

L'homme ne termina jamais sa phrase.

Après avoir fixé du regard la divinité pendant un moment, il poussa des gémissements et tomba en transe, laissant Murugan prendre possession de ses sens. Déjà, on intervenait pour le maîtriser, le temps de laisser sortir la divinité de son corps.

Derek et Hank n'allaient en tirer rien de plus.

Chapitre 14
La danse des singes

Bali, Indonésie

Bali est le seul endroit en Indonésie, un pays très majoritairement musulman, où on pratique l'hindouisme. Après leur passage aux grottes de Batu en Malaisie, Derek et Hank étaient donc en terrain connu.

À tout moment du jour, des gens déposent sur l'autel d'un temple, devant la porte d'entrée d'une maison ou à proximité d'un champ de riz, des pétales de fleurs, des grains de riz, des bâtonnets d'encens, etc. Les offrandes déposées sur les autels sont destinées aux forces du bien et celles déposées par terre aux forces du mal. Le but est de préserver cette harmonie avec les divinités et d'assurer ainsi la bonne marche des activités quotidiennes, comme si l'île tout entière était un sanctuaire à ciel ouvert entièrement dédié aux forces surnaturelles.

Bali est donc avant tout l'île des dieux, et ce, malgré les hordes de touristes qui envahissent ce petit paradis terrestre et les milliers de routards qui font de Kuta Beach leur camp de base et un de leurs lieux de rencontre privilégiés sur la planète.

Les jours de fête – et ils sont nombreux –, les Balinais se surpassent et les préparatifs peuvent durer plusieurs jours, le temps de dresser les paniers d'offrandes chargés de fleurs, de fruits, de gâteaux de riz, d'installer des perches de bambou aux abords de la route pour annoncer les festivités et d'aménager des autels à proximité des temples pour recevoir les offrandes aux divinités.

Dans un *kampung*, un village situé non loin de Kuta Beach où les deux routards avaient établi leur camp de base, la fête pouvait commencer.

Derek et Hank, afin de se plier aux formalités locales et de mieux se fondre dans le décor, avaient revêtu le sarong à carreaux noirs et blancs porté comme une jupe autour de la taille.

Une longue procession se forma alors qu'on transportait la représentation de la divinité depuis le temple jusqu'à la mer pour y être purifiée. Elle était suivie des offrandes que les femmes portaient en équilibre sur la tête et que se partageraient les villageois dans le cadre des célébrations qui allaient suivre.

Une fois de retour au temple, devant l'image de la divinité décorée de fleurs d'hibiscus et revêtues elles aussi d'un sarong à carreaux noirs et blancs, des danseuses firent quelques pas de *legong*, la danse rituelle balinaise, accompagnées du gamelan (orchestre à percussion) en l'honneur de la divinité.

Des hommes du village, torse nu, vêtus simplement du sarong à carreaux noirs et blancs et portant une fleur d'hibiscus rouge dans leurs cheveux d'ébène, prirent ensuite la relève. Assis en cercle dans la position du lotus, ils allaient interpréter l'épopée du Ramayana. Ils personnifiaient l'armée des singes qui aida Rama, une réincarnation de Vishnou, à triompher des démons.

La danse des singes était un moment fort de la cérémonie. Le *Ketak! Ketak! Ketak!* scandé à l'unisson par cette horde de figurants avait quelque chose d'envoûtant et d'électrisant. La sueur perlait sur le visage et le torse des danseurs qui ne ménageaient aucun effort malgré la chaleur moite de cette fin de journée sous les tropiques.

Le cri de ralliement de l'armée des singes devenait plus intense et interpellait encore davantage les habitants du *kampung*. Le rythme s'accéléra. La danse entra alors dans une autre dimension, comme si le combat n'était plus entre les singes et les danseurs masqués qui personnifiaient les démons, mais entre le bien et le mal.

Un des danseurs masqués en transe se détacha du groupe en frappant de son glaive d'apparat dans le vide et se rapprocha de la foule.

Derek, qui était aux premières loges, ne sachant trop comment interpréter le geste du danseur qui s'avançait vers lui, ne vit pas venir le coup.

Sans crier gare, celui qui personnifiait un démon se jeta sur lui. Il avait tout de même pu, avant d'être maîtrisé par les autres participants comme c'est habituellement le cas lorsque l'un d'eux perd ses sens, agripper le médaillon de Derek. Il fallut l'intervention de plusieurs personnes pour le maîtriser, le temps de permettre aux esprits maléfiques de sortir de son corps. Derek en avait été quitte pour une bonne frousse.

Une fois la fête religieuse terminée, encore secoué par ce qui venait de se passer, Derek, accompagné de Hank, suivit les hommes sous le toit du *wantilan*, une aire réservée aux activités communautaires à proximité du temple, pour assister à des combats de coqs. Si ces combats sont officiellement interdits, on fait exception les jours de fête.

Cette fête au *wantilan* allait donner l'occasion à Derek et à Hank de rencontrer le chef du village et de mieux comprendre ce qui venait de se passer.

Derek, après réflexion et conscient qu'il était toujours en pays hindou, n'était pas surpris outre mesure. Le médaillon semblait exercer, ici comme ailleurs, une certaine fascination et être l'objet de bien des convoitises.

— Où as-tu pris ce médaillon ? demanda le chef du village, visiblement mal à l'aise après ce qui venait de se passer.

— Un vieil homme me l'a remis à Bénarès, en Inde, sans me donner plus de détails, répondit Derek. J'ai cru comprendre, avec le temps et après certains événements, que ce n'était pas un médaillon comme les autres.

— Nous étions réellement en présence des forces du mal, ajouta le chef du village, tout en étant bien conscient que ce qu'il disait pouvait laisser les deux jeunes étrangers perplexes.

— Ton médaillon a vraiment des pouvoirs qui échappent à la compréhension des mortels que nous sommes. Les dieux te protègent, c'est certain, mais tu n'es pas à l'abri des démons, comme tu viens de le constater. Ce n'est sûrement pas une coïncidence que les démons soient intervenus pendant la danse des singes qui reprend l'épopée du Ramayana à laquelle on fait référence sur ton médaillon.

Le chef du *kampung* ajouta:

— Je crois comprendre que tu rêves de parcourir le monde – les nouvelles vont vite dans le *kampung*. Sache que, quelle que soit ta destination, le médaillon non seulement te protégera, mais t'ouvrira bien des portes et t'aidera à réaliser ton karma. Les gens que tu croiseras sur ta route seront comme l'armée de singes qui a prêté main-forte à Rama. Ils t'aideront, si tu leur fais confiance, à atteindre tes objectifs. Je pense que celui qui te l'a confié a compris que c'était ta soif de découvertes qui t'avait conduit en Inde et que le médaillon allait t'aider à réaliser tes rêves. Il ne fait aucun doute dans mon esprit que tu iras au bout de tes rêves.

Derek ne savait absolument pas où toute cette histoire allait le mener, mais s'il avait appris une chose depuis qu'il avait pris la route, c'était de se laisser porter par le destin et de faire confiance aux gens qu'il croisait. De toute façon, voyager avec les moyens du bord ne lui laissait guère le choix. Les gens du pays étaient souvent ses seuls vrais compagnons de voyage. C'était dans cette vie d'itinérant qu'il avait choisie que le mot « liberté » prenait tout son sens.

Ses rêves se concrétisaient certes, mais l'expérience qu'il vivait allait bien au-delà de ses rêves. Son quotidien, fait d'imprévus et de rebondissements, faisait de lui, et il en était bien conscient, un être privilégié par le destin. Si le médaillon y était pour quelque chose, peut-être n'était-ce qu'une raison de plus pour mordre dans tout ce que la vie avait à lui offrir et se laisser porter par le hasard des rencontres.

L'ambiance plutôt à la fête sous le *wantilan* n'était pas propice aux longues discussions. L'excitation était à son comble sur la grande place du village et la tension était palpable alors qu'on se préparait au combat qui allait suivre. L'enjeu: la vie ou la mort pour le coq, des roupies pour ceux qui avaient investi du côté du gagnant et l'honneur ou la perte d'un volatile fort coûteux pour les propriétaires.

Tenus fermement par leurs maîtres respectifs, les coqs furent mis en présence l'un de l'autre. Après leur avoir arraché quelques plumes pour aiguiser leur colère, on fixa des pointes acérées à leurs pattes pour en faire un combat sans merci. Surexcités, les deux coqs s'acharnaient déjà contre les mains qui les retenaient. Dès qu'ils furent lâchés, un combat sauvage de gladiateurs s'engagea dans un nuage de plumes et de poussière. Le spectacle fut cependant de courte durée. Touché, un des fiers combattants battait désespérément de l'aile avant de tomber inerte. La foule poussa un soupir de satisfaction. Le combat avait duré à peine 30 secondes. Au son du gong, un autre combat commençait.

Chapitre 15
Comme un *road movie*

L'outback australien

À Bali, Derek reprit la route en solitaire.

S'il acceptait à l'occasion de faire un bout de chemin avec l'un ou l'autre des routards rencontrés sur sa route, il préférait voyager seul. Voyager en solitaire facilitait les contacts avec les gens du pays et laissait place à plus d'imprévus et d'aventures. S'il ne semblait avoir aucune rancune à l'égard de Hank après ce qui s'était passé à Katmandou, il se méfiait tout de même de lui. Il le trouvait étrange et imprévisible et lui reprochait peut-être inconsciemment de ne pas avoir de but précis dans la vie, ce qui était un préalable aux yeux de Derek, plus discipliné et organisé qu'il ne le paraissait. Faire le tour du monde restait plus que jamais son objectif. Il maintenait le cap.

Derek tourna le dos à l'Asie pour se rendre à Darwin, au nord de l'Australie. De là, il comptait traverser l'île-continent en auto-stop jusqu'à Sydney, où il espérait trouver du travail, afin de se renflouer pour poursuivre sa route. L'Australie était un des rares pays dans cette partie du monde où il était relativement facile de trouver un travail assez bien rémunéré.

Après une nuit passée à la belle étoile sur le balcon d'un immeuble à logements du centre-ville de Darwin – seule option pour un routard dans un pays où le coût de la vie est élevé –, et après avoir fait quelques provisions pour la route, Derek se sentait prêt à braver l'*outback* australien. Sydney se trouvait à des milliers de kilomètres.

Il n'avait aucune idée du temps qu'il lui faudrait pour se rendre dans la métropole australienne en auto-stop, mais la rumeur voulant que de nombreuses routes soient fermées plus au sud en raison des inondations ne présageait rien de bon.

Une fois sorti de la ville, il avait à peine eu le temps de lever le pouce qu'une voiture de police s'arrêtait à sa hauteur, comme si les formalités à l'arrivée à l'aéroport de Darwin la veille n'avaient pas été suffisantes. Être passé par Kuta Beach à Bali, un repère de routards où la drogue circulait librement, faisait de lui un suspect.

Le temps de boucler la ceinture de son jean, après un interrogatoire sur ses allées et venues et une fouille en règle, et de refaire son sac à dos, il pouvait espérer prendre la route et vivre la brousse. S'il devait, faute de mieux, faire du surplace, il pouvait toujours revenir sur ses pas et rentrer à Darwin.

La journée s'annonçait chaude. Après de longues heures d'attente, une voiture s'arrêta pour le conduire jusqu'à Katherine, quelque 200 kilomètres plus au sud en direction de Tennant Creek. Le sort était jeté. Il n'était plus question de revenir en arrière.

La brousse prenait toute la place, comme s'il n'y avait rien d'autre. Le paysage se résumait à quelques arbres clairsemés sur lesquels des araignées géantes avaient jeté leur toile. Des termitières surplombaient les hautes herbes et pouvaient à la rigueur servir de points de repère. De rares kangourous et quelques chiens errants et affamés complétaient le décor. La vie était rude dans l'arrière-pays australien. La route semblait ne mener nulle part et les signes de vie se faisaient de plus en plus rares au fur et à mesure qu'il s'enfonçait dans la brousse. Derek venait à peine de mettre les pieds dans l'*outback* australien qu'il voulait déjà en sortir.

Deux individus s'arrêtèrent à sa hauteur et lui proposèrent de monter à bord de leur camion. Ces hommes ne lui inspiraient guère confiance, mais après des heures d'attente sous un soleil de plomb quelque part entre Elliott et Tennant Creek, il ne pouvait refuser.

Les deux comparses avaient sûrement commencé très tôt le matin à s'humecter le gosier, le seul passe-temps dans ce coin de pays, et ils avaient déjà l'air de marins en goguette. Qu'importe ! La conduite en état d'ébriété dans la savane australienne ne posait pas vraiment de problème en soi puisque le terrain était plat, la route se confondait avec le paysage et le trafic était inexistant.

Faute de place sur la banquette avant et la troisième place étant occupée par un chien, Derek s'installa dans la benne du camion avec une vue imprenable sur la brousse.

Après quelques heures de route vers le sud, les deux *Crocodile Dundee* s'arrêtèrent à un carrefour et invitèrent Derek à descendre avant de prendre une route secondaire. Le jeune routard était en plan au milieu de nulle part.

C'était lui faire prendre un risque que les deux comparses n'étaient pas en état de bien calculer et que Derek, faute de bien connaître la région et ses chances de pouvoir trouver un autre véhicule, n'était pas non plus en mesure d'évaluer.

Le soleil descendait rapidement sur la savane, et après plusieurs heures d'attente, Derek se fit à l'idée qu'il allait devoir passer la nuit sur le macadam. C'était le seul endroit qu'il jugeait sécuritaire dans ce milieu hostile. Déjà des vautours, qui le considéraient comme une proie facile, virevoltaient au-dessus de sa tête.

À la tombée du jour, à l'heure où les *bush flies*, ces mouches omniprésentes en cette période de l'année, cédaient le pas aux moustiques comme dans une course à relais bien orchestrée, l'*outback* australien prenait une allure particulièrement hostile et inhospitalière.

Son *road movie* ne faisait que commencer.

En poursuivant à pied, afin de tuer le temps, Derek trouva aux abords de la route une voiture abandonnée depuis probablement plusieurs années et décida, faute de mieux, d'en faire un refuge pour la nuit en espérant que l'endroit n'était pas déjà occupé par des serpents ou autres animaux indésirables. Il n'était pas encore installé que des chiens errants sortis de nulle part se jetèrent sur lui. Pris de panique, Derek grimpa sur le capot de la voiture dans l'espoir de décourager ses assaillants, mais rien n'y fit. Par chance, les aboiements menaçants des chiens et les cris de Derek eurent pour effet, contre toute attente, d'attirer l'attention d'un aborigène qui bivouaquait non loin de là.

D'un seul cri, l'homme de la brousse, pieds nus, vêtu d'un simple pagne en lambeaux et se tenant debout sur une jambe, agrippé à un bâton pour garder l'équilibre, l'autre jambe étant repliée à la façon d'une grue des marais, réussit à s'imposer et à faire fuir la meute. Derek l'avait échappé belle.

L'homme, le front proéminent, la tignasse crépue teintée de la poussière du désert, le visage tiré à grands traits et la peau cuivrée par le soleil, semblait sortir tout droit de la préhistoire. Il aurait pu rebuter Derek dans d'autres circonstances, mais dans l'enfer du désert australien, il était sa meilleure carte. Derek n'hésita donc pas à le suivre tout en jetant un coup d'œil derrière lui de temps à autre, afin de s'assurer que les chiens se tenaient toujours à distance. Il pouvait au moins espérer trouver un endroit où il serait en sécurité pour la nuit.

Derek prit conscience tout à coup que, spontanément, il avait agrippé son médaillon si fermement dans le feu de l'action que sa main était restée crispée de douleur. Une idée lui effleura l'esprit. Est-ce que le fait de s'être ainsi accroché en désespoir de cause à son médaillon avait eu une incidence sur la suite des événements et lui avait permis de s'en sortir indemne? Celui qui incarnait un démon dans la danse des singes à Bali et qui s'en était pris à son médaillon ne l'avait-il pas agrippé en connaissance de cause, conscient des pouvoirs qui y étaient associés? Derek venait-il de percer une partie du mystère ou des pouvoirs entourant le médaillon?

Les préoccupations de son hôte et les considérations terre-à-terre dans la brousse l'obligèrent à mettre en veilleuse ses réflexions.

Si l'autochtone qui venait de lui sauver la vie ne semblait pas apprécier, comme il allait lui faire comprendre, la présence d'un étranger sur des terres ancestrales jugées sacrées dans les croyances aborigènes, il était intrigué par sa présence au milieu de nulle part et paraissait tout de même heureux, malgré son visage impassible, de briser le silence et la solitude du désert.

— Vous m'avez sauvé la vie, dit Derek, après avoir franchi les quelques centaines de mètres qui les séparaient du campement de l'aborigène où il n'y avait, pour tout décor, qu'un feu de camp, quelques arbres rabougris et un plan d'eau stagnante. Je suis vraiment heureux que vous ayez entendu les aboiements de ces chiens et que vous ayez rappliqué aussi rapidement, ajouta Derek en tentant de sortir l'homme de son mutisme. Je ne sais pas comment j'aurais pu m'en tirer tout seul.

— C'étaient des dingos, reprit l'indigène, détendant du même coup l'atmosphère. Ce ne sont pas leurs aboiements qui m'ont mis sur ta route, mais l'esprit des ancêtres. Tu dois avoir un destin bien particulier pour que les ancêtres veillent ainsi sur toi. Pour nous, les aborigènes, ajouta encore celui qui s'était présenté sous le nom de Kalkadoon et pour qui la brousse résumait tout son univers, tout être humain possède deux âmes: l'une mortelle, qui réintègre le néant, et l'autre immortelle, qui retourne sur la terre ancestrale. L'esprit de nos ancêtres est donc lié à cette terre, aux sites sacrés qu'il faut préserver à tout prix pour maintenir l'ordre établi. Ta présence aurait dû, en temps normal, être considérée comme un sacrilège et mettre ta vie en danger. Or, malgré cela et le danger qui te guettait, des forces inconnues ont fait en sorte que j'entende tes cris, que j'intervienne et que tu t'en sortes indemne.

Sans rien connaître de Derek, l'homme semblait avoir fait référence aux forces vives qui le protégeaient. Le fait que Kalkadoon s'était retrouvé orphelin dès son jeune âge et que sa vie avait été, somme toute, une expérience de survie expliquait peut-être l'importance qu'il accordait au culte des ancêtres.

Derek ne put s'empêcher de penser que le médaillon qu'il portait y était pour quelque chose. Il n'osa toutefois aborder la question directement avec son hôte. L'*outback* australien était bien loin du monde indien, même si les esprits qui peuplaient la terre, selon les croyances aborigènes, n'étaient pas sans rappeler le panthéon hindou.

Derek eut droit, pour tout repas, avant de s'endormir à la belle étoile, à quelques bouchées de viande cuite sur le feu. Il n'osa demander la provenance de cette viande dont le goût lui était inconnu. Mais le jeûne ne lui souriait guère et le refus d'accepter de partager ce repas aurait pu insulter son hôte.

Le jour suivant sa mésaventure, Kalkadoon invita Derek à le suivre dans le lit asséché d'un ruisseau aux berges abruptes jusqu'au campement de Neidjie. Ils le trouvèrent assis, jambes croisées, sous un arbre. Il était imposant avec ses cheveux blancs et sa grande taille, et son corps était couvert de cicatrices, témoignant des rudes conditions d'existence et des dangers omniprésents dans la brousse.

— Pour les aborigènes, précisa Kalkadoon une fois en présence de Neidjie, les humains ont été chargés de veiller sur les terres et sur tout ce qui est vivant. Neidjie est responsable de veiller sur le pays des ancêtres.

— Conserver l'harmonie entre l'homme et son environnement fait partie du rêve des aborigènes, expliqua Neidjie, qui se disait inquiet pour l'avenir de son peuple. L'homme blanc n'a pas de rêve. Il ne vit que pour le moment présent et utilise les richesses de la terre sans compter. Il emprunte un chemin contre nature qui ne peut que le mener à la catastrophe, ajouta le vieil homme qui craignait, comme beaucoup d'autres dépositaires des croyances ancestrales, de ne pas vivre assez longtemps pour transmettre son savoir.

Ce jugement un peu sévère vis-à-vis de l'homme blanc et ces références au monde aborigène pouvaient sembler difficilement compréhensibles, mais prenaient tout leur sens dans un contexte de survie. Ce que Neidjie semblait craindre par-dessus tout, ce n'était pas tant la présence de l'homme blanc que la perte des valeurs aborigènes au contact de la civilisation et du mode de vie des Blancs.

Si Derek était fasciné par ces aborigènes isolés du monde et en parfaite harmonie avec la nature, il lui était difficile de sortir de la peau de l'homme blanc qu'il était. Kalkadoon et Derek incarnaient deux solitudes.

Kalkadoon insista, au moment du départ, pour conduire Derek au bord de la route et attendre avec lui qu'il trouve une voiture pour se rendre à Three Ways, près de Tennant Creek.

À Three Ways, Derek était peut-être un peu plus près du but, mais il était toujours au milieu de nulle part sur une route qui semblait sans issue. Un *roadhouse*, sorte de gîte du passant, seul signe de la présence de l'homme dans ce coin perdu, donnait un air encore plus sinistre à ce *no man's land*. Personne ne voulait vraiment s'y attarder. C'était un véritable cul-de-sac.

L'auto-stop, la seule façon de se déplacer dans ces régions éloignées à moins d'avoir une voiture, était devenu pour Derek, qui voyait ses fonds baisser à vue d'œil, la seule option possible s'il voulait, avec le peu d'argent qu'il avait encore en poche, se rendre jusqu'à Sydney pour y trouver du travail.

Le jeune routard réussit finalement à se rendre jusqu'à Mount Isa, quelque 650 km plus loin. De là, il ne put poursuivre son périple en auto-stop jusqu'à Townsville en raison des inondations qui coupaient l'accès à la côte du Pacifique. Comme il n'avait pas non plus d'argent pour prendre l'*Inlander*, le train de passagers qui faisait le trajet entre Mount Isa et Townsville, il décida de monter clandestinement à bord d'un train de marchandises.

Après avoir téléphoné à la gare ferroviaire de Mount Isa, afin de s'informer de l'horaire du train, Derek n'eut aucun mal, après avoir fait quelques provisions, à se faufiler à bord d'un wagon ouvert et à parcourir ainsi gratuitement les quelque 800 km qui le séparaient encore de Townsville.

Une fois sur le grand axe routier Cairns-Brisbane-Sydney, il put facilement se rendre en auto-stop jusqu'à la métropole australienne.

Chapitre 16
Comme une bouteille à la mer

L'île de Pâques, Chili

En renouant avec le métro-boulot-dodo, version australienne, et en mettant de côté pour un temps sa vie de vagabond, Derek avait accepté temporairement les contraintes du monde du travail en se disant qu'une fois ses goussets bien remplis, il pourrait reprendre la route.

Il était devenu un «Canadien errant». Voyager, refaire le monde était un mode de vie. Il lui aurait été difficile de dire, plus encore qu'au moment du départ de Montréal, à quel moment il comptait rentrer au bercail.

Aussi ne se fit-il pas prier, après quelques mois de dur labeur dans les cuisines d'un restaurant de Sydney, gagne-pain qu'il avait trouvé par l'entremise d'une agence de placement, pour remettre ses vieilles godasses et reprendre son baluchon. Il tourna ainsi le dos à l'Australie et à l'appartement qu'il partageait avec d'autres jeunes étrangers au pays des *Aussies*, près de Kings Cross, au cœur de la métropole australienne.

L'île de Pâques, sur la route des Amériques, était pour Derek un incontournable.

La terre des Pascuans est peut-être l'île la plus connue de la planète, mais paradoxalement la plus énigmatique et la plus mystérieuse. Les moaïs, ces colosses de pierre, sont devenus une sorte de cliché universel et résument, mieux que toute autre œuvre laissée en héritage par les différents peuples au cours des siècles, l'histoire de l'humanité, la grande épopée de l'homme sur la Terre.

Leur simplicité et leur grandeur en font la synthèse de toutes les civilisations et de toutes les cultures. Leur regard tourné vers l'horizon symbolise mieux que tout autre monument créé par l'homme la quête de l'infini, d'un idéal à atteindre.

Par temps clair, du haut du Terevaka, le plus haut sommet de l'île, on peut surplomber tout l'univers des Pascuans et porter son regard sur l'océan qui suit, tout autour, la ligne de l'horizon. L'île de Pâques, *Rapa Nui* pour ses habitants, est comme une bouteille à la mer et semble bien seule au monde. Les Pascuans n'ont connu pendant des siècles l'existence d'aucune autre terre. L'île était pour eux le nombril du monde.

Le marché de Hanga Roa, le seul village de l'île, se limite à sa plus simple expression. Quelques artisans, pêcheurs et vendeurs de fruits et de légumes souvent importés du continent, *del conti,* comme disent les insulaires, se regroupent tous les matins au centre du village. C'est le seul lieu de rassemblement des Pascuans, mis à part le rendez-vous dominical sur le parvis de l'église et la plage d'Anakena de l'autre côté de l'île.

Derek fit immédiatement de la place du marché son lieu de rendez-vous. C'était l'endroit idéal pour rencontrer les gens du village et prendre le petit-déjeuner tout en observant le va-et-vient des passants.

Au fil de ces rencontres, il ne tarda pas à se lier d'amitié avec un certain Felipe qui avait, lui aussi, fait du marché de Hanga Roa son port d'attache et qui y passait une bonne partie de la journée, comme s'il n'avait rien d'autre à faire en attendant l'été austral et le retour des touristes.

Les Pascuans, presque décimés à une certaine époque, étaient aujourd'hui conscients de la richesse de leur culture et de leurs traditions. Felipe, Pascuan jusqu'au bout des ongles, donnait un sens au monde par les croyances de ses ancêtres.

À l'entendre parler avec conviction de Makemake, le dieu créateur de *Rapa Nui*, et de sa conception du monde, Derek était de plus en plus intrigué par le personnage qui semblait vouloir porter sur ses frêles épaules tout l'univers de ses ancêtres.

Felipe avait, lorsqu'il fixait l'horizon, le regard perçant des moaïs à l'allure impassible et solitaire, tout-puissants et éternels à la fois. Son visage sculpté à grands traits et ses cheveux d'ébène qui tombaient sur sa nuque trahissaient ses origines polynésiennes. Il incarnait, de par sa façon d'être, les mille ans de solitude des Pascuans. Il était, à n'en pas douter dans l'esprit de Derek, le dernier des Pascuans.

Les moaïs, qui étaient d'une certaine façon eux aussi les derniers survivants de cette île mythique, personnifiaient en raison de leurs traits humains ce lien avec l'au-delà du réel auquel s'accrochait Felipe, pour qui l'île était au centre du monde, de son monde.

Aussi, lorsque Derek aborda la question du médaillon qu'il portait et des pouvoirs qu'il semblait exercer, Felipe ne manqua pas d'y voir un signe du destin. Il ne faisait aucun doute pour cet autochtone que les esprits des moaïs, qui traditionnellement assuraient la protection des Pascuans, avaient placé Derek sur sa route.

Le clou d'une visite à l'île de Pâques est le volcan Rano Raraku d'où proviennent la plupart des moaïs de l'île. C'est là qu'on trouve la plus grande concentration de ces géants, tantôt couchés et inachevés, tantôt debout à flanc de montagne comme arrêtés dans leur course, comme si un cataclysme les avait à jamais figés dans le temps et empêchés de poursuivre la route vers leur destination finale. Pris globalement, éparpillés ici et là, les moaïs ressemblent aujourd'hui à une armée de géants, à des sentinelles qui veillent sur les habitants de l'île.

Dans la carrière du volcan Rano Raraku, des géants couchés en rangs serrés, l'épine dorsale encore soudée à la roche volcanique, sont comme dans l'attente du moment propice pour se lever et poursuivre leur destin, comme si on pouvait refaire l'histoire. Le culte des géants de pierre, aujourd'hui inachevés et abandonnés dans la carrière, culte auquel semblait vouloir s'accrocher Felipe, était bel et bien du passé.

Un vieux chêne, de l'autre côté de l'île, près des sept moaïs d'Ahu Akivi, attira l'attention de Derek. Les arbres se faisaient plutôt rares sur l'île.

Derek se souvint de ce que le vieil Indien de Bénarès lui avait dit au moment de le quitter, à savoir que le « chêne », un des trois mots qu'il avait choisis, faisait partie de son destin.

Felipe avait-il raison de croire, se demandait Derek, en regardant le vieux chêne tordu par le vent du large, que son destin passait par l'île de Pâques ? Il semblait bien que oui.

Felipe, se rappelant ses humanités, ne manqua pas de souligner à Derek, en s'approchant de l'arbre, que le chêne incarnait traditionnellement l'hospitalité et la sagesse.

— Dans l'Odyssée, ajouta-t-il, Ulysse consulta le feuillage du grand chêne de Zeus.

— Crois-tu, demanda Derek un peu à la blague, en reprenant à son compte cet épisode de l'Odyssée, que ce vieux chêne pourrait avoir réponse à mes questions ?

Derek connaissait déjà la réponse de Felipe.

— Si tu devais consulter ce chêne, demanda-t-il encore sur un ton qui laissait croire que sa question n'avait pour but que de nourrir la conversation, comment t'y prendrais-tu ?

— Je tenterais d'interpréter la position de l'arbre, dit Felipe, la forme et la direction des branches, le jeu du vent dans le feuillage.

— Et que vois-tu ? demanda Derek.

— La principale branche de l'arbre penche résolument vers l'est, dit sans aucune hésitation Felipe, indiquant la route à suivre. Mais elle est tordue, ce qui annonce, selon moi, des embûches à venir.

— Et les moaïs d'Ahu Akivi qu'on peut voir à proximité, renchérit Derek, pourquoi ont-ils le regard tourné vers l'ouest ?

— Les moaïs, répondit Felipe, qui représentaient les ancêtres, avaient traditionnellement le regard tourné vers leurs villages respectifs pour assurer la protection des habitants. Ceux d'Ahu Akivi font exception à cette règle, mais on ignore pourquoi. De toute façon, c'est le chêne qui t'intéresse, si je me fie aux prédictions de celui qui t'a remis le médaillon. Regarde les motifs formés par les fissures de l'écorce de cet arbre. On dirait qu'elles racontent une histoire. Elles me rappellent les tablettes de bois *rongo-rongo*, le « bois qui parle », sur lesquelles on trouve des textes écrits en pascuan, une langue qui s'est éteinte et que personne ne peut déchiffrer aujourd'hui.

— Et si les sillons creusés dans l'écorce du chêne avaient une signification ? reprit Derek.

Felipe n'avait pas vraiment de réponse, mais en longeant la côte sur le chemin du retour à Hanga Roa, ils passèrent devant la maison de Marguerita, une dame qui avait eu douze enfants, ce qui, au dire de certains au village, lui conférait un don de prémonition. Felipe pensa qu'elle pourrait avoir une explication.

Marguerita, une femme d'une cinquantaine d'années, semblait avoir les pieds sur terre et n'avait rien à première vue de quelqu'un qui pouvait avoir un don quelconque. Elle connaissait, comme tout le monde sur l'île, le vieux chêne, mais n'y avait jamais vraiment porté une attention particulière. Née à Hanga Roa, elle avait, comme beaucoup d'autres habitants de l'île, épousé un Chilien venu du continent, ce qui contribuait à diluer l'identité culturelle des Pascuans.

Comme il se faisait tard, tous convinrent de se donner rendez-vous au marché de Hanga Roa le lendemain matin et, de là, de se rendre au site d'Ahu Akivi.

Le lendemain, après avoir pris un bon café et partagé quelques brochettes de viande de porc, ils prirent la route qui menait à l'intérieur des terres pour se rendre à pied jusqu'aux sept moaïs d'Ahu Akivi. La journée s'annonçait plutôt nuageuse, ce qui était fréquent sur l'île de Pâques en cette période de l'année. L'automne dans le Pacifique Sud était synonyme de pluies presque quotidiennes. Ils arrivaient à proximité du vieux chêne lorsqu'un éclair déchira le ciel.

— Le chêne! Le chêne! fit remarquer Felipe.

Il était trop tard. La foudre, qui aurait pu frapper l'un ou l'autre des marcheurs, avait jeté son dévolu sur le vieux chêne. Frappé en plein cœur, l'arbre se consumait comme s'il s'était sacrifié pour mieux protéger Derek. C'est du moins le sens que Felipe donna à l'incident.

Felipe n'allait pas pouvoir percer les secrets du vieux chêne, pas plus que Marguerita d'ailleurs, mais Derek avait tout de même l'impression que son séjour à l'île de Pâques n'avait pas été en vain.

Après avoir survolé une dernière fois le village de Hanga Roa, les moaïs de la plage d'Anakena et le volcan Rano Raraku, l'avion à bord duquel Derek avait pris place mit le cap sur le continent.

Chapitre 17
Au bout de la route

Puerto Natales, Patagonie, Chili

Un vent froid balayait les rues presque désertes du quartier Bellavista de Santiago et faisait virevolter les feuilles mortes. L'hiver austral arrivait à grands pas.

Les artisans de Santiago, qui étalaient habituellement leurs œuvres dans la rue Pio Nono, se faisaient de plus en plus rares, et seuls quelques artistes dans l'âme venaient encore y flâner ou prendre un verre. Le Montmartre chilien, avec ses rues étroites ombragées et ses allures de village, où le poète Pablo Neruda avait jadis pignon sur rue, s'était presque endormi pour l'hiver. Derek n'avait pas de temps à perdre s'il voulait se rendre dans l'archipel de la Terre de Feu avant les grands froids.

De Santiago, une cinquantaine d'heures d'autocar l'amenèrent jusqu'à Punta Arenas, qui donnait sur le détroit de Magellan. Au fur et à mesure qu'il se rapprochait de l'extrémité du continent, l'altitude des Andes diminuait pour devenir un chapelet d'îles et se perdre au milieu de l'océan. La Terre était ronde, mais elle avait un bout. La Patagonie, c'était le bout de la route.

Derek avait décidé, contre vents et marées, de se rendre dans le parc Torres del Paine, au milieu d'une contrée sauvage et indomptée de grands pics rocheux qui transpercent les nuages et dominent le paysage et de langues glaciaires qui crachent des icebergs sur des lacs aux couleurs étonnantes. En cette période de l'année, les vents rageaient et le froid était mordant.

Si Derek avait réussi sans trop de difficulté à se rendre tôt le matin dans le parc Torres del Paine en montant à bord d'un camion partant de Puerto Natales, le retour en fin de journée allait s'avérer plus problématique. Une voiture s'était bien arrêtée à sa hauteur, mais devant les avances explicites du conducteur qui semblait considérer le routard solitaire comme une proie facile ou comme un gars aux mœurs légères ouvert à toutes les expériences, Derek avait préféré passer son tour.

Ce n'était pas la première fois qu'il devait affronter ce genre de situation et réagir à certaines propositions, comme si, dans un milieu fermé où tout le monde se connaît, l'étranger de passage servait de soupape et d'exécutoire à des penchants qu'on n'ose exprimer ouvertement et qu'on juge, dans ces circonstances, sans conséquence et sans lendemain.

C'était déjà le crépuscule et Derek, faute de moyen de transport, s'était résigné à forcer la porte d'un des refuges situés à l'entrée du parc, de simples abris qui étaient fermés en cette période de l'année, et à s'y installer pour la nuit. Seuls quelques renards roux et des hardes de lamas sauvages erraient dans les parages, une occasion unique, malgré le manque de confort de ces refuges, de vivre cette solitude du bout du monde.

Derek avait froid, le ventre creux, et n'avait pas fermé l'œil de la nuit, mais il n'aurait donné sa place pour rien au monde. C'était dans ces moments plus difficiles qu'il appréciait sa liberté tous azimuts et qu'il trouvait l'énergie de poursuivre sa route. Il y avait un prix à payer pour vivre l'aventure : la solitude, le froid, la faim, la fatigue, les dangers parfois, mais cela faisait partie des règles du jeu. Cette expérience de liberté n'avait pas de prix et ne pouvait se vivre qu'en faisant fi de tout le reste, comme si le vagabond qu'il était devenu pouvait maintenant prétendre être libre.

Le week-end qui s'amorçait, pensa-t-il au petit matin, alors qu'il était recroquevillé en position fœtale pour mieux lutter contre le froid, lui permettait d'espérer qu'il y aurait un peu plus de va-et-vient dans ce coin perdu et qu'il pourrait se diriger en auto-stop vers le côté argentin de la frontière avant de remonter vers le nord.

La route, enneigée en cette période de l'année, rendait le trajet incertain, mais Derek, toujours peu préoccupé de son confort et des risques qu'il courait à voyager dans de telles conditions, espérait que de rares touristes passeraient par là.

Son insouciance et son optimisme à toute épreuve allaient bien le servir puisqu'il ne tarda pas à rencontrer un camionneur qui l'invita à monter à bord de son véhicule pour l'amener vers des cieux plus cléments, de l'autre côté des Andes.

— Comment peux-tu vivre ainsi ? demanda l'homme après que Derek lui eut raconté la nuit qu'il venait de passer.

Même si de toute évidence son bon samaritain ne roulait pas sur l'or, il n'arrivait pas à comprendre comment on pouvait volontairement décider de quitter son pays, de voyager ainsi et de vivre, pour ainsi dire, dans la misère, comme si la sécurité du train-train quotidien prenait toute la place et bloquait son champ de vision.

— N'avez-vous jamais rêvé de faire le tour du monde? lui demanda Derek.

— Sans doute, répondit-il, comme tout le monde. Qui n'a jamais fait ce rêve ? Mais...

— Mais ça s'arrête là, poursuivit Derek, comme pour terminer la phrase de son interlocuteur. Parce qu'il y a toujours un « mais » et parce qu'on pense que c'est pour les autres, on passe à côté de ses rêves. Je ne veux pas avoir de regrets. Je ne veux pas avoir à revenir en arrière et me dire un jour que j'aurais dû réaliser mon rêve et faire le tour du monde. C'était peut-être mon destin, poursuivit Derek, qui se surprenait un peu lui-même de résumer ainsi son expérience de vie, comme s'il ne pouvait plus dissocier son sort du médaillon qu'il portait.

Il carburait à l'aventure au point qu'il lui aurait été difficile de voir les choses autrement. Un retour à la vie d'avant n'était plus possible.

Chapitre 18
Au pays des gauchos

San Antonio de Areco, Argentine

Une fois à El Calafate, du côté argentin, une cinquantaine d'heures d'autocar permirent à Derek de remonter vers le nord et de franchir le Rio Colorado, sorte de frontière naturelle qui séparait la Patagonie des terres fertiles de la pampa.

La pampa est toujours l'univers des déracinés et des chercheurs d'aventure qui, à une époque, avaient adopté un peu le mode de vie des indigènes et vivaient dans un pays sans frontières.

Le gaucho est cet ancêtre mémorable de l'Argentine profonde, le cowboy de l'hémisphère Sud, le symbole de la liberté et des grands espaces, sans attaches, sans territoire fixe, menant une vie rude, se nourrissant essentiellement de viande et de maté – un breuvage au goût amer fait de feuilles infusées qu'on consomme nature ou sucré – et ne quittant jamais son cheval.

À San Antonio de Areco, au cœur de la pampa, à quelques heures de route au nord-ouest de Buenos Aires où Derek s'était retrouvé pour y vivre le quotidien de ces cowboys, la vie prenait un autre rythme.

Avec sa petite église toute blanche, sa grande place, ses maisons basses dans la pure architecture coloniale, San Antonio est au cœur de la tradition des gauchos. Le Bar Besonar, qui a pignon sur rue au centre-ville et dont les murs plus que centenaires sont décrépis par le temps et noircis par l'humidité, est le lieu de rendez-vous de ces gens du terroir. Leur pantalon bouffant serré dans les bottes, leur foulard et leur béret basque trahissent leurs origines françaises. Le vin et la bière coulent à flots et on y échange, comme dans les bistros du sud de la France, à l'arrivée comme au départ de bonnes poignées de main.

Si, pendant l'été austral, les descendants des gauchos vivent de la tonte des moutons en offrant leurs services d'une *estancia* (ferme) à l'autre, l'hiver est une période plutôt tranquille et le Bar Besonar est un endroit où on investit beaucoup de temps.

Derek s'y fit d'abord offrir un verre ou deux avant de devenir un habitué et de se lier d'amitié avec Fernando, « Nando » pour les intimes.

C'est ainsi qu'il se retrouva, à l'invitation de ce dernier, à La Estrella, une ferme d'élevage de la région où son hôte avait un pied-à-terre pendant la saison morte, s'adonnant, comme beaucoup d'autres, à quelques travaux afin de payer sa pitance et d'avoir un toit pour dormir.

À les voir avec leurs *bombochas* (pantalon bouffant serré dans les bottes), leur *corralera* (blouse courte boutonnée au cou et ample à la taille), leur foulard, leur large ceinture, leur *chambergo* (chapeau de feutre noir à large rebord), leur précieux *facon* (couteau), leur gourde contenant du maté et, bien sûr, leur poncho, ces cowboys un peu crottés et à l'allure négligée semblaient sortir d'un livre d'histoire et s'accrocher à un mode de vie révolu.

Pourtant, Derek se sentait à l'aise avec ces cavaliers d'une autre époque, sorte de gitans de la pampa, ces centaures qui faisaient corps avec leur monture, qui étaient à des années-lumière de Buenos Aires et vivaient, comme lui, dans une sorte de société parallèle, un monde à part.

À son arrivée à l'*estancia*, un morceau de viande cuisait devant l'âtre d'une grande pièce qui allait lui servir d'abri de fortune pour les jours suivants, le temps de partager un peu la vie de ces descendants de Martin Fierro, le gaucho d'une chanson de geste que les jeunes Argentins apprennent à l'école et qui consacre le mythe des hommes libres de la pampa.

On offrit spontanément à Derek, dans cette ambiance de camaraderie, un peu de maté. Derek n'appréciait pas tellement le goût amer de cette boisson dite nationale, mais ses papilles gustatives et son estomac en avaient vu d'autres.

Le père de Nando, qui avait également un pied-à-terre à La Estrella, était souvent blotti près du feu, un verre de maté à la main. Le visage terreux, ravagé par le temps, il incarnait à lui seul la pampa.

Il parlait de sa vie de gaucho au passé. Il rappelait parfois, avec un éclair dans les yeux, ses grandes chevauchées sauvages avant la création de ces grandes fermes d'élevage qui faisaient des gauchos des paysans plus sédentaires et qui contenaient aujourd'hui leur liberté et leurs espaces à l'intérieur de clôtures de barbelés.

— Si je devais recommencer ma vie, disait le père de Nando, avec un brin de nostalgie, je crois que je ferais plus de folies et que j'en profiterais davantage. J'apprécierais chaque moment... un à la fois... et rien d'autre.

En tendant à Derek son verre de maté et sa *bombilla,* dans un geste de partage qu'on répétait à tout moment en Argentine, que ce soit en regardant un match de *futbol* à la télévision entre amis ou dans un autocar bondé avec des étrangers, il ajouta:

— Je serais comme un cheval sauvage. Je refuserais de me laisser apprivoiser. On se laisse trop facilement étouffer par le train-train quotidien. La vie a tellement plus à offrir.

Derek ne pouvait s'empêcher, en écoutant les regrets de ce vieillard, de faire le lien avec son mode de vie. Il savait que tôt ou tard il connaîtrait de nouveau les contraintes de la société, comme tout le monde, mais peut-être était-il en train de fourbir ses armes pour mieux y faire face et mieux faire la part des choses.

Allait-il un jour pouvoir jeter l'ancre et limiter ses horizons, à l'exemple des gauchos, à l'intérieur de clôtures ? Allait-il un jour pouvoir adapter son rêve de grands espaces à une vie plus sédentaire ?

Il n'avait pas vraiment de réponses à ces questions. C'était pourtant en parlant de ses projets et en voyant la réaction des gens que Derek, s'il avait encore besoin de s'en convaincre, pouvait le mieux apprécier la chance inouïe qu'il avait de pouvoir ainsi réaliser son rêve.

Il était un privilégié du destin et il allait tout faire pour aller au bout de son projet de vie.

À quel moment, pensa Derek, à bord de l'autocar qui le conduisait à Buenos Aires, le gaucho était-il passé de renégat ou de hors-la-loi à héros et symbole d'un pays en quête de son identité, admiré pour son esprit indépendant et sa vie rude ? À quel moment cet homme des grands espaces avait-il compris que le flux d'immigrants, le fil de fer des clôtures, le prolongement des routes et des voies ferroviaires, bref le progrès, le dépouillaient peu à peu de son identité ? Difficile à dire. Mais la tradition demeurait. Les gauchos étaient à l'Amérique du Sud ce que les cowboys étaient à l'Amérique du Nord, un passé qui s'était adapté au présent.

Derek avait un peu l'impression d'être aussi, à sa façon, un rêveur, un nostalgique d'une époque révolue. Mais fallait-il toujours tourner la page et s'adapter ? Était-ce vraiment nécessaire ? Était-ce vraiment un passage obligé ? Pour le moment, il se refusait à le croire. Comment pourrait-il retourner en arrière et reprendre une vie « normale » comme si rien ne s'était passé depuis qu'il roulait sa bosse sur les routes du monde ? Était-il en train de se condamner lui-même, et par choix, à une vie d'errance, comme s'il ne pouvait plus accepter de se sédentariser ?

Chapitre 19
Des glaces qui purifient l'âme

Cuzco, Pérou

Après avoir sorti d'un sac trois feuilles de coca qu'il tenait dans sa main droite, le vieil Indien quechua qui résumait à lui seul, par les traits marqués de son visage, tout l'héritage du monde inca les laissa partir au vent dans une sorte de rituel, s'assurant ainsi, selon une vieille coutume, une oreille attentive de la Pachamama, la terre mère. Il porta ensuite quelques feuilles de coca à sa bouche. Puis il versa dans un gobelet de terre cuite un peu de *chicha*, la bière de maïs locale, qu'il offrit à Derek. Ce dernier, comme le veut la tradition dans les Andes, en versa quelques gouttes par terre à la Pachamama avant de porter le gobelet à ses lèvres.

Ce digne descendant des Incas que Derek avait rencontré sur la Plaza de Armas à Cuzco venait de sceller en quelque sorte une relation privilégiée. Non seulement avait-il remarqué le médaillon que portait Derek, mais les yeux noirs du jeune routard qui brillaient comme des billes, son teint bruni par le soleil, ses pommettes saillantes et ses longs cheveux bruns qu'il portait attachés sur la nuque lui donnaient une allure locale et le rendaient d'autant plus sympathique aux Indiens des Andes. Seule sa taille, qui en faisait presque un géant aux yeux des autochtones, trahissait ses origines étrangères.

— Tu sembles avoir un destin hors du commun, lui dit le vieil Indien quechua, le visage à moitié caché sous son *chullo*, le bonnet de laine des Andes. Derek lui offrait, comme il l'avait fait à quelques reprises déjà en guise d'amitié, un peu de tabac sous les arcades des édifices de l'époque coloniale entourant la Plaza de Armas où le « vieil Inca », comme l'appelait affectueusement le jeune routard, semblait avoir élu domicile.

Derek ne savait que dire. Qu'avait-il sinon le désir d'aller au bout de ses rêves et de se donner les moyens de le faire ? Qu'avait-il sinon cette détermination à vouloir faire le tour du monde ?

La vie était devenue pour lui, un peu à son insu et par la force des choses, un voyage dans le temps et dans l'espace qui le transformait peu à peu.

Comment aurait-il pu envisager la vie comme avant alors que des pans entiers de son passé semblaient sortir du champ de sa mémoire et que cette expérience hors du commun lui donnait une plus grande assurance en ses propres moyens. Il avait changé. Il était devenu sa propre référence. Il fixait lui-même ses propres frontières et ses limites. Les carcans du passé s'estompaient.

Depuis son départ du Canada, il n'avait été que face à lui-même, et c'était en lui-même qu'il allait chercher toute cette force de caractère à laquelle le vieil Inca faisait allusion. Il fallait une bonne dose de détermination pour tout laisser derrière soi, remettre en question son train-train quotidien et se lancer tête baissée dans la mêlée pour ouvrir toute grande la porte de l'imprévisible.

Si le médaillon l'avait inspiré ou lui avait appris quelque chose, c'était qu'il ne pouvait compter que sur lui-même et qu'il n'allait trouver qu'en lui-même les réponses à ses questions existentielles.

De ses contacts privilégiés avec les différents peuples de la planète, ces gens du terroir pour qui la seule préoccupation semblait être de survivre, il avait appris l'importance de ne rien tenir pour acquis et d'apprécier le moment présent. Il avait, chaque fois, l'impression de revenir à des notions de base et de trouver dans le quotidien de ces gens l'énergie et l'inspiration dont il avait besoin pour continuer.

Cuzco, la Lhassa des Andes, n'est peut-être plus le nombril du monde comme elle l'était du temps des Incas, mais il se dégage toujours une ambiance particulière de cette ville qui fait la synthèse entre la culture indienne et celle des conquistadores.

La gare ferroviaire San Pedro à Cuzco ressemblait à un marché avec le va-et-vient incessant des paysans qui apportaient leurs marchandises à vendre à la ville ou qui en rapportaient d'autres dans leurs bagages sur le chemin du retour dans leur village. Chaque arrêt était une occasion de faire de nouvelles affaires et au fur et à mesure que le train vers Machu Picchu s'enfonçait dans la vallée des Incas et que les wagons se remplissaient de paysans chargés comme des ânes, ce trajet devenait pour Derek comme un voyage initiatique dans la vie de ces descendants des Incas.

À sa grande surprise, Derek était attendu à la gare d'Aguas Calientes, un petit village qui sert de camp de base pour visiter Machu Picchu. Manuelito, le petit-fils du vieil Inca, connaissait bien la région et devait lui servir de guide.

Contre toute attente, le vieil homme avait décidé de veiller sur lui. Il l'avait pris sous son aile et voulait s'assurer, pour des raisons encore obscures, que rien de malencontreux ne l'écarterait de sa route.

À la demande du vieil Inca, Derek accepta, de retour à Cuzco, de se rendre au sanctuaire de Qoyllur Iti, à quelque 150 kilomètres de l'ancienne capitale des Incas. L'homme croyait dur comme fer que Derek devait faire ce pèlerinage au cœur des Andes et y ramener la glace sacrée qui purifie les âmes pour s'attirer les faveurs des dieux incas.

À l'approche de la Fête-Dieu, dans un rituel qui se veut tantôt chrétien, tantôt inca, les descendants des Incas se retrouvent par milliers sur la piste menant de Cuzco à la forêt amazonienne.

La petite chapelle de Mahuayani, qui servait de camp de base à 4 000 mètres d'altitude, accueillait pour quelques jours le flot des pèlerins qui prenaient d'assaut la montagne. C'était de ce point de ralliement, par un sentier étroit et escarpé balisé par le temps et exposé au vent et au froid, que Derek, toujours accompagné de Manuelito, entreprit la longue montée vers les glaciers du Sinakara, à plus de 5 000 mètres d'altitude.

Quand il avait accepté la proposition du vieil Inca, Derek n'avait aucune idée de la galère dans laquelle il s'embarquait. La montée était rude et dura plusieurs jours. Manuelito avait pris soin, comme tous les gens du pays, d'apporter dans son baluchon de la nourriture, de même que des feuilles de coca et de l'eau-de-vie pour surmonter les moments difficiles.

La nuit venue, on s'attroupait contre des murets de pierre et autour de bivouacs improvisés pour survivre au froid des Andes. Au lever du jour, on reprenait la route.

Comme le voulait la coutume, chaque groupe était accompagné d'un orchestre qui ouvrait la marche, suivi des danseurs et des pèlerins. *Chunchus* coiffés de plumes d'ara et personnifiant le culte des ancêtres, *diablados* portant un masque et représentant les mauvais esprits et *ukukus* vêtus de peaux de bête et d'une cagoule et assurant la bonne marche du pèlerinage formaient une foule hétéroclite qui donnait des airs de fête foraine à ce rituel andin.

Si on prenait d'assaut la montagne pour y célébrer le Christ, on rendait toujours, une fois sur place, un culte à Huanca Rumi, un de ces rochers sacrés vénérés depuis des temps immémoriaux, bien avant l'arrivée des conquistadores.

Devant une petite église bâtie à flanc de montagne, flûtes et tambours se turent, le temps de permettre aux pèlerins de s'adonner aux rites chrétiens, de faire leurs ablutions et d'allumer des bougies. Musiciens et danseurs reprirent ensuite l'initiative pour se diriger vers le lieu de culte inca où, en échange de dons en argent, on leur remettait des symboles de richesse qu'ils souhaitaient acquérir (fausse monnaie, camion jouet, etc.). Pour certains, le pèlerinage s'arrêtait là. Pour les autres, comme pour Derek et Manuelito, ce n'était qu'une étape avant de partir à la conquête du glacier.

Un pénitent, porteur de la croix, trouva la force de continuer entre deux rasades d'alcool et quelques feuilles de coca et prit la tête du peloton. *Chunchus, diablados* et *ukukus* suivirent.

Une fois sur le glacier, dans un syncrétisme confondant coutumes chrétiennes et croyances païennes, hommages au dieu des chrétiens et à ceux de la cordillère des Andes, on planta une croix, on alluma des cierges et on se mit à genoux pour remercier les dieux d'avoir trouvé l'énergie d'arriver jusque-là. Tous passèrent la nuit sur le glacier. Pour Derek et Manuelito, comme pour tous les autres pèlerins, ce fut une nuit blanche.

Aux premières lueurs du jour, l'excitation était à son comble. On ne sentait ni la fatigue des derniers jours ni le froid. À l'aide de pics et de pierres, on se mit à arracher des blocs de glace, la glace sacrée du Sinakara qui guérissait, dit-on, les maladies, avant de la charger sur ses épaules.

Derek n'était pas en reste. S'il doutait de la pertinence de sa démarche, il pensait au moins faire plaisir au vieil Inca en lui rapportant un morceau de ce précieux butin.

Déjà, certains amorçaient la descente à la queue leu leu et formaient, le long du sentier de retour, une ligne étroite qui s'étirait à perte de vue.

Une fois de retour au sanctuaire, ils furent accueillis en héros. La foule s'arrachait la glace miraculeuse.

De leur côté, Derek et Manuelito poursuivirent la descente et montèrent dans la benne d'un camion qui les ramena à Cuzco. Ils avaient pris soin d'emballer la glace dans un vieux poncho pour éviter qu'elle ne fonde complètement avant le retour.

Le vieil Inca allait pouvoir cette année encore frotter religieusement la glace de ses mains tremblotantes et se mouiller la peau du visage et le cuir chevelu de cette eau bénite, afin de s'imprégner de la force et du pouvoir des dieux.

— Je t'attendais depuis un certain temps, devait confier le vieil homme à Derek, alors que ce dernier lui faisait ses adieux à la Plaza de Armas. Un jour, il y a quelque temps de cela, j'ai vu des signes dans les flammes de la *mesa*, une offrande à la Pachamama. J'ai vu ton médaillon et les signes qui s'y trouvaient gravés, mais je n'avais aucune idée de leur signification et de leur importance. Lorsque je t'ai rencontré, j'ai compris.

Pendant que Derek faisait tout à coup le lien avec le vieux moine tibétain qu'il avait rencontré au lac Namtso, au Tibet, et qui avait vu un signe dans les eaux du lac sacré, le vieil Inca poursuivit :

— J'ai su alors que je devais servir de relais et t'appuyer dans ta démarche. Le destin t'avait placé sur ma route et j'allais participer à ta quête autour du monde.

Derek n'en croyait pas ses oreilles. Comment deux événements prémonitoires d'une même réalité, l'un survenu au Tibet, l'autre dans les Andes, avaient-ils pu se produire simultanément ? C'était comme si des forces inexpliquées étaient en cause et faisaient partie de son projet de vie.

— Va sur l'île du Soleil ! ajouta le vieil Indien, en guise d'adieu. Va voir le fils de l'Inca !

Chapitre 20
Le fils de l'Inca

Île du Soleil, lac Titicaca, Bolivie

À mi-chemin entre les Caraïbes et la Terre de Feu, la cordillère des Andes, qui s'étend sur quelque 7 000 kilomètres, s'élargit pour former un immense plateau appelé l'Altiplano. Le lac Titicaca se trouve au cœur de ces hautes terres, comme dans un écrin, à près de 4 000 mètres d'altitude. C'est de ce lac mythique, selon la légende, qu'aurait surgi Inti, le dieu Soleil qui aurait sorti l'Univers de la noirceur. C'est sur l'île du Soleil, au milieu du lac Titicaca, que serait né l'Inca et que la civilisation des Incas aurait vu le jour. L'île du Soleil est un lieu mythique qui résume l'âme de tout un peuple et où plane toujours l'esprit de l'Inca.

Ce rendez-vous suscitait bien des questions et laissait Derek un peu perplexe. Qui pouvait prétendre incarner le fils de l'Inca, un titre jadis réservé à l'empereur du monde inca ?

En s'engageant dans le sentier abrupt qui menait jusqu'au point culminant où était blotti le seul village de l'île, Derek avait l'impression de remonter le temps.

La vie est rude autour du lac Titicaca, toujours considéré comme un lieu sacré par les descendants des Incas. Les hommes portent un pantalon, un grand poncho et le *chullo*, sorte de bonnet de laine. Les femmes portent un petit chapeau melon et des jupes, trois ou quatre à la fois, et souvent davantage, lors des festivités, comme le symbole d'une richesse bien relative.

— Où puis-je rencontrer le fils de l'Inca ? osa demander Derek, un peu mal à l'aise, en reprenant son souffle en raison de l'altitude, à quelques femmes quichuas qu'il venait de croiser sur le sentier caillouteux qui montait en lacets au village.

En haut, au village, lui fit-on signe, sans lui donner l'impression que sa question était incongrue.

Derek en conclut, quoique toujours sceptique, que le fils de l'Inca devait sinon être toujours vivant, au moins exister dans l'esprit des gens de l'île.

Une fois au village et guidé par un jeune Indien quechua, il se retrouva, après quelques minutes d'efforts, près du rocher sacré où, selon la légende, seraient nés Manco Capac et Mama Ocllo, les enfants du Soleil qui auraient fondé Cuzco, la capitale de l'Empire des Incas.

— Ce rocher représente le fils de l'Inca, lui indiqua le jeune Indien. Aucune décision importante n'est prise sur l'île sans le consulter.

— Et comment fait-on, demanda Derek en essayant de surmonter son scepticisme, pour consulter le fils de l'Inca ? C'était le but de sa visite.

— L'homme le plus âgé du village assure traditionnellement les liens avec les ancêtres et le fils du Soleil. C'est le vieil homme assis près du rocher et qui entretient la *mesa*, la table d'offrandes, ajouta le jeune guide. Il s'appelle Estevan et peut interpréter la fumée des offrandes. Il t'attend.

De fait, non seulement il attendait Derek, mais il avait pris les devants.

Estevan était en fait un *kallawaya* qui maîtrisait l'art de guérir les malades, de protéger les voyageurs, d'arrêter la pluie et d'assurer de bonnes récoltes.

Vêtu d'un poncho rouge distinctif (*poca poncho*) comme le veut la tradition, et portant en bandoulière un sac rouge orné de pièces de métal contenant des feuilles de coca et un autre sac (*kapachu*) rempli d'herbes séchées, il enchaînait déjà prières et incantations devant des offrandes de feuilles de coca, de gras de lama, de pétales de fleurs, de morceaux de sucre et de noix. Derek se présenta devant lui.

Sans même faire une pause pour accueillir le jeune routard, il aspergea d'alcool les offrandes à l'aide d'un œillet, le temps d'invoquer les *apos*, les esprits suprêmes en langue indigène, et de laisser le feu consumer le tout.

Ce n'est qu'une fois ce rituel terminé que le guérisseur des Andes, absorbé qu'il était par les rites qu'il venait d'accomplir, leva les yeux vers Derek pour lui remettre une poignée de feuilles de coca. Il laissa tomber quelques feuilles pour alimenter le feu et scruta la fumée de la *mesa* qui montait vers le ciel.

— Vois-tu ce que je vois ? dit l'homme.

Derek n'avait aucune difficulté à le considérer comme le fils de l'Inca tellement les traits de son visage marqué par le temps et sa peau basanée par le vent de l'Altiplano et le soleil des Andes semblaient résumer, sous un vieux *chullo* porté avec nonchalance, tout le bagage génétique de ses ancêtres.

— Je vois une divinité de pierre ayant des traits humains et portant ton médaillon, poursuivit l'Inca.

Derek ne voyait rien, mais il était déjà moins sceptique. Il s'approcha du vieil homme, prêt à jouer le jeu et à écouter ce qu'il avait à dire.

— Il faudra, enchaîna l'Inca qui s'était fait rassurant, que tu apprennes à te laisser porter davantage par le destin si tu veux que les forces vives opèrent et guident tes pas.

— Que voulez-vous dire ? demanda Derek.

— N'as-tu pas créé des liens privilégiés avec ton médaillon à ce jour ? N'as-tu pas expérimenté ses pouvoirs ?

Derek ne savait trop que répondre.

— Peut-être une fois au cœur de la brousse australienne, osa Derek. J'ai eu comme l'impression à un moment donné que le médaillon avait agi, ou peut-être n'était-ce qu'une coïncidence. C'était comme s'il m'avait aidé à me tirer d'un mauvais pas. Même l'aborigène, qui était intervenu et m'avait permis de m'en sortir indemne, s'expliquait mal comment il s'était retrouvé sur les lieux et m'avait tiré des crocs des dingos qui s'en étaient pris à moi.

— As-tu prononcé une formule particulière ou fait un geste précis qui à ta connaissance aurait pu déclencher le tout et activer, pour ainsi dire, les forces de ton médaillon? demanda le *kallawaya*.

— Rien de précis, reprit Derek, si ce n'est que je crois me rappeler avoir étreint le médaillon sous le choc.

— Et tu n'as pas eu l'occasion de vérifier si la magie opérait bel et bien entre toi et le médaillon? renchérit l'Inca, un peu étonné devant tant de réserve et de scepticisme de la part de Derek.

— Vous croyez que je devrais provoquer le destin et avoir recours au médaillon dans le seul but de tester ses pouvoirs? interrogea Derek.

— Ce n'est pas ce que j'ai voulu dire, rétorqua le *kallawaya*. Le médaillon n'est pas un joujou, bien au contraire. Tu auras peut-être l'occasion de «tester ses pouvoirs», comme tu dis, dans d'autres circonstances. Qui sait? De retour à Copacabana, va voir Angela. Cette dame a des dons de voyante et pourrait te mettre sur une piste.

Déjà, le digne descendant de l'Inca vaquait à ses occupations et fixait à nouveau la fumée de la *mesa,* alors que les femmes rencontrées plus tôt s'approchaient à leur tour pour le consulter.

Derek n'allait pas en apprendre davantage.

Chapitre 21
La mesa

Copacabana, lac Titicaca, Bolivie

Des camions déversaient depuis quelques jours déjà, près de l'église de Copacabana, les nombreux pèlerins venus du Pérou et de la Bolivie qui s'y étaient donné rendez-vous pour la fête de la Vierge brune.

Fête chrétienne ou inca, ou les deux à la fois, nul n'aurait pu le dire avec certitude. Mais ils étaient nombreux à se retrouver sur les rives du lac Titicaca au début du mois d'août pour vénérer à la fois la Vierge des chrétiens et la Pachamama, la terre mère des Incas.

Le rituel était catholique certes, mais enrichi de coutumes indiennes. Les rues entourant l'église et la grande place étaient devenues un immense marché à ciel ouvert. La foule était dense et on avait peine à circuler. Aux vendeurs de tout acabit et aux popotes mobiles se joignaient ceux qui offraient aux pèlerins la possibilité d'acheter en miniature l'objet convoité : un petit sac de farine pour de bonnes récoltes, un lama en plastique pour un troupeau en santé, une maison ou une voiture jouet, de la fausse monnaie pour des jours plus prospères et, pour les plus ambitieux, un immeuble, un camion ou un autocar. Des sacs en plastique, préparés pour l'occasion, contenaient même une représentation symbolique de tous les objets convoités. On les vendait souvent avec un fœtus de lama séché qui portait chance.

Autour de l'église où on rendait hommage à la Vierge brune, des centaines de pèlerins faisaient la queue avec à la main le camion jouet, la maison miniature ou la liasse de fausse monnaie qu'ils allaient faire bénir dans l'espoir de voir leurs vœux se concrétiser. Un prêtre, autour duquel se bousculaient les pèlerins, arrosait littéralement d'eau bénite les fidèles et les objets qui représentaient tous leurs espoirs.

Une petite chapelle (*capilla de velas*), qui n'avait pour toute décoration qu'une réplique de la Vierge brune, servait de lieu de dévotion. On y allumait des chandelles par dizaines et on utilisait la cire fondue encore chaude pour dessiner sur les murs noircis par la fumée la voiture ou la maison convoitée. On y inscrivait également parfois, toujours à la cire chaude, les mots *amor, salud, trabajo* (amour, santé, travail). On grattait les murs de temps à autre et nettoyait le tout, afin de laisser à d'autres la possibilité de s'exprimer.

Les gens plus à l'aise financièrement soulignaient leur pèlerinage en étalant leurs richesses et en s'offrant les services de musiciens et de danseurs sur la place publique au milieu des popotes mobiles, des vendeurs de chandelles et des marchands de bonheur. Il y avait de la place pour tout le monde à cette grande fête des Andes.

Sur la route menant au chemin de la croix qui surplombait la ville et qui ressemblait, avec ses abris de toile, à un immense camp de réfugiés, on trouvait d'autres vendeurs de miracles, des charlatans offrant des médicaments douteux, des diseurs de bonne aventure et de vieux sages qui donnaient leurs conseils et agissaient comme intermédiaires entre les hommes et la Vierge brune des chrétiens ou la Pachamama. C'était une autre occasion, pour ceux et celles qui voulaient mettre toutes les chances de leur côté, de s'offrir les services d'un médium qui prononcerait les incantations nécessaires pour assurer la réalisation des vœux les plus chers.

C'était dans ce secteur que Derek avait le plus de chance de trouver Angela, cette femme dont Estevan lui avait vanté les mérites. La fête de la Vierge brune représentait une bonne occasion de faire des affaires pour ces voyants et devins de tout acabit.

La vieille dame, le visage cuivré par le froid, emmitouflée dans son poncho, semblait un peu dépassée par les événements. Elle savait que Derek n'était pas un client comme les autres et qu'elle ne pourrait lui servir le baratin habituel. Elle allait devoir faire appel à tous ses talents. Derek savait également qu'il aurait à desserrer les cordons de sa bourse. Les quelques dizaines de bolivianos qu'il déposa discrètement dans le creux de la main de la vieille dame semblaient faire l'affaire et allaient l'encourager à délier sa langue.

— Qu'attends-tu de moi ? demanda d'emblée la dame en replaçant nerveusement, afin de donner un peu plus de crédibilité à son personnage, le petit chapeau melon qui couronnait de longues tresses de cheveux noirs tombant nonchalamment sur ses épaules.

— Une simple question, dit Derek. Un certain Estevan a interrogé le fils de l'Inca sur l'île du Soleil. Il dit avoir vu l'image d'une divinité de pierre ayant des traits humains qui portait mon médaillon. Ce médaillon, ajouta Derek, en le montrant à la dame.

— Il parlait sûrement de Tumkaj, répliqua la vieille femme qui se voulait rassurante.

En fixant, afin de montrer ses rapports privilégiés avec l'au-delà, la *mesa* qui se consumait dans les flammes, elle poursuivit :

— Tu n'as pas à te faire du souci, le fils de l'Inca veille sur toi. Tumkaj prendra le relais et assurera ta protection en temps opportun. Tu le trouveras sur ta route. Tu n'as pas à t'inquiéter, bien au contraire. S'il porte ton médaillon, c'est qu'il devra probablement intervenir en ta faveur pour te tirer d'un mauvais pas. Considère les propos du fils de l'Inca comme une mise en garde, tout au plus. Tu devras être très prudent. Tu ne seras pas toujours entouré d'amis.

— Vous ne savez pas où et quand je croiserai ce Tumkaj sur ma route, questionna Derek.

— Tu auras un signe, ajouta la dame qui avait déjà commencé à plier bagage, laissant entendre que Derek en avait eu amplement pour son argent.

— Ce Tumkaj, insista Derek, en suivant les pas d'Angela, comment peut-il être dans le coup si je ne l'ai jamais?...

— Parce qu'il fait partie de ton destin, comme le fils de l'Inca et toutes les forces qui t'ont protégé à ce jour, le coupa la dame au chapeau melon. Comment peux-tu en douter après tout ce qui t'est arrivé et ce que j'ai vu dans les flammes de la *mesa*?

Elle ajouta en s'arrêtant et en le regardant droit dans les yeux, avant de s'engouffrer dans une ruelle:

— Ne trouves-tu pas que le doute qui subsiste encore dans ton esprit t'a déjà fait perdre suffisamment de temps?

S'il avait laissé beaucoup de place à l'aventure depuis qu'il avait quitté Montréal, il est vrai qu'il n'avait jamais vraiment abandonné son scepticisme. Il gardait toujours ses distances face à toutes ces croyances populaires qui inspiraient et motivaient tant de gens. Il se pensait beaucoup trop rationnel pour laisser place à toutes ces chimères, même s'il ne pouvait s'empêcher de flirter avec ce monde imaginaire qu'il côtoyait régulièrement.

Le soir tombait. Derek redescendit au village où la fête battait son plein.

Dans les jours suivants, les centaines d'autocars, fourgonnettes et camions qui avaient conduit les pèlerins à bon port ramenèrent tout ce beau monde jusqu'aux confins du Pérou ou de la Bolivie. La Vierge brune et la Pachamama avaient été comblées. Pour tous ces gens, l'avenir s'annonçait prometteur.

Derek décida de profiter du transport à Copacabana pour reprendre la route avec les pèlerins qui retournaient à Arequipa, au Pérou, et de là, prendre la panaméricaine et remonter vers le nord.

Chapitre 22
La protection de Tumkaj

Chichicastenango, Guatemala

Derek ne serait jamais allé à San Francisco El Alto, un village situé non loin de Quetzaltenango, au Guatemala, sans son marché de bétail, le plus important du genre en Amérique centrale.

Si la grande place qui fait face à l'église et les rues adjacentes sont quotidiennement envahies par les marchands qui exposent sur des tréteaux improvisés tissus traditionnels, chapeaux, objets de cuir, bijoux, jouets, fruits et légumes, vêtements neufs et usagés, le vendredi, le village tout entier devient un immense marché à ciel ouvert où tout se vend et se marchande.

Bien avant le lever du jour, les camions commencent à déverser leur cargaison, tantôt de tissus et de produits de toutes sortes, tantôt de paysans et d'animaux pour le grand rassemblement de la semaine. Des popotes mobiles, des charlatans et des vendeurs de tout acabit se greffent également à cette grande foire hebdomadaire. Ils arrivent de partout, comme si tout le pays quiché s'y était donné rendez-vous.

Les enfants, encore au sein et accrochés au dos de leur mère, ressemblent, avec leurs grands yeux noirs, à des poupées de porcelaine. Ils grandissent souvent entre les étals du marché, où ils apprennent à faire leurs premiers pas et à participer aux tâches quotidiennes. Il n'y a pas d'âge pour faire partie de ce grand spectacle de la vie. Et la vie, pour beaucoup, tourne du matin au soir autour de la place du marché.

Le terrain de *futbol* devient pour l'occasion un immense marché de bétail. Les cochons couinent de douleur malmenés au bout d'une corde, les moutons bêlent de peur pressentant une fin tragique, les veaux braillent comme des enfants bousculés par le va-et-vient incessant, les chèvres s'énervent dans la cohue générale, les chevaux s'impatientent devant ces acheteurs qui n'en finissent plus de vérifier leur dentition, tandis que les vaches, stoïques face à leur destin, restent calmes. Les dindons gloussent comme intimidés par ce branle-bas, les poules caquettent en chœur entassées au fond d'un panier et les chiots et les chatons se blottissent dans les bras de leurs jeunes maîtres de crainte de trouver preneur. Dans cette ambiance pour le moins anarchique, on attend patiemment son prix tout en tentant de contrôler tant bien que mal les réactions imprévisibles des animaux. On doit souvent revenir plusieurs fois à ce rendez-vous du vendredi avant de trouver preneur ou de décider, faute d'acheteurs, de faire boucherie soi-même.

Dans le cadre de ce grand rendez-vous du vendredi, Derek rencontra un jeune couple d'Indiens quichés de Todos los Santos, un village situé à 2 500 mètres d'altitude au cœur de la Sierra de los Cuchumatanes, la plus haute chaîne de montagnes d'Amérique centrale. Le visage tiré à grands traits et la peau brunie par le soleil et le climat rude des montagnes, Rosita portait une jupe bleu foncé et le *huipil* (blouse) tissé et brodé à la main. Pablo portait un pantalon rouge rayé de blanc, la chemise au collet tissé et le chapeau de cowboy. Ils avaient entrepris le voyage pour aller à la rencontre de San Simon (saint Simon), un personnage mystérieux qui avait pignon sur rue dans le village de Zunil, situé non loin de Quetzaltenango. Ils espéraient obtenir de lui la guérison de leur premier-né, bien accroché pour le voyage au dos de sa mère.

Sans savoir à quoi s'attendre, Derek avait décidé, par curiosité, de monter dans la benne du camion qui devait le conduire à Quetzaltenango et, de là, d'accompagner Rosita et Pablo jusqu'à Zunil, afin de faire la connaissance de ce San Simon auquel on associait certains pouvoirs.

San Simon, à la grande surprise de Derek, était un mannequin. Il était également connu sous le nom d'Alvarado. On le vénérait pour ses pouvoirs d'intermédiaire auprès des divinités.

Vêtu à l'occidentale et portant un chapeau de cowboy, San Simon, personnalité locale aujourd'hui décédée, catalysait la foi des habitants de ces régions montagneuses.

À l'intérieur d'une des maisons du village où San Simon avait élu domicile, on venait le toucher et lui offrir du rhum, de l'argent, des cigarettes, des fleurs et des chandelles pour obtenir ses faveurs. On offrait des chandelles blanches pour la guérison d'un enfant, jaunes pour de bonnes récoltes, rouges pour l'amour et noires pour éliminer un ennemi potentiel. On lui mettait souvent un cigare allumé entre les doigts et on récupérait les cendres qui, croyait-on, réglaient les problèmes d'insomnie, de même que les mégots qui protégeaient des voleurs. On jetait des œufs dans les flammes qu'on entretenait à l'extérieur de la maison. S'ils craquaient, c'était une indication que les pèlerins allaient obtenir les faveurs demandées.

Un officiant servait d'intermédiaire entre les croyants et San Simon. Pour quelques quetzals, Rosita et Pablo allaient pouvoir demander au « saint » d'intercéder en leur faveur.

Ils expliquèrent à l'officiant le but de leur visite, puis ce dernier se tourna vers San Simon, lui versa une grande rasade d'alcool et reprit dans ses propres mots la demande du couple qui restait debout dans l'espoir d'obtenir une réponse ou d'avoir un signe.

Derek n'allait pas être en reste. L'officiant lui fit signe d'avancer. Derek n'avait rien à demander à San Simon, mais accepta, de crainte de déplaire à ses hôtes, de se plier à cette coutume.

— Que souhaites-tu demander à San Simon ? demanda l'officiant, en présentant le jeune routard au « saint » des Indiens quichés.

Il y eut un long silence. Derek ne savait que dire. Des paysans remplissaient la pièce et tous les regards étaient tournés vers lui.

Il hésita un moment, puis jugeant qu'il n'avait rien à perdre...

— Qui est Tumkaj ? demanda Derek, se rappelant la rencontre qu'il avait eue avec une vieille dame dans les Andes quelques mois plus tôt et qui lui avait parlé de ce personnage.

— Je dois rencontrer un certain Tumkaj, renchérit Derek, sûr maintenant de n'avoir pas commis d'impair.

L'officiant parut hésiter un moment, comme s'il était surpris qu'un étranger mentionne même ce nom. Puis il se tourna vers San Simon, répétant pour lui et pour tous ceux qui assistaient à la scène que l'étranger souhaitait entrer en contact avec Tumkaj.

L'officiant n'avait pas vraiment besoin de San Simon pour répondre à la question de Derek, pas plus que les témoins de la scène d'ailleurs.

— Tu pourras le rencontrer à Chichicastenango, répondit l'officiant en tendant la main vers Derek, comme pour lui suggérer de faire une offrande. Tumkaj se trouve à Chichi.

Derek avait au moins une partie de la réponse. La vieille dame de Copacabana avait vu juste. Ce Tumkaj existait vraiment.

Raison de plus pour aller à Chichi, pensa Derek, qui avait déjà mis le marché du dimanche de Chichicastenango à son itinéraire.

Après avoir remis quelques quetzals à l'officiant qui lui suggéra d'apporter un poulet à Tumkaj en guise d'offrande, Derek reprit la route, sûr d'être près du but.

Chichicastenango, Chichi pour les intimes, se trouve à quelques heures de route de Zunil. Tous les dimanches a lieu, sur la grande place en face de l'église Santo Tomas, un des marchés les plus courus du Guatemala.

Se rendre à Chichi la veille d'un jour de marché est déjà une expérience en soi. À bord d'un vieil autocar qui s'arrête à tout moment s'entassent de plus en plus de paysans aux costumes multicolores et variés, selon leur village d'origine, qui se donnent rendez-vous comme toutes les semaines à Chichicastenango. Légumes frais, poterie, tissus, cochons et poulets bien vivants et ficelés dans des sacs de jute s'ajoutent aux bagages sur le toit de l'autocar qui devient, en cours de route, une véritable arche de Noé sur quatre roues.

Le soir précédant le jour du marché, la grande place de Chichi devient un immense chantier où chacun s'affaire à installer les tréteaux qui vont servir de campement pour la nuit et à exposer la marchandise qui accrochera l'œil du touriste de passage ou du paysan à la recherche d'une couverture, d'une chemise ou d'une paire de sandales à troquer contre des produits de la terre.

Bébés retenus et accrochés, à l'aide d'une bande d'étoffe, au dos de leurs mères qui tanguent sur place pour mieux les endormir, paysans sans âge accroupis sur le sol et occupés à manger un épi de maïs grillé sur le feu en guise de repas du soir, enfants qui courent entre les tréteaux et les étalages pour s'amuser et peut-être oublier un peu la froideur de la nuit dans les montagnes... Tout cela donne à la grande place de Chichi sur le point de s'endormir des allures de camp de réfugiés.

Le dimanche matin, l'animation est à son comble et Chichi devient dès l'aube une grande foire qui s'étend toujours plus loin dans les ruelles.

Sur le parvis de l'église Santo Tomas, les Indiens quichés s'adonnent à un rituel qui rappelle les rites mayas autrefois célébrés sur les gradins des pyramides, rites qu'ils pratiquent encore et qu'ils ont intégrés à la religion des conquistadores espagnols. On y brûle un encens, le *pun*, dans de vieilles boîtes de conserve perforées qu'on balance au bout d'une ficelle, ce qui donne à la grande place une ambiance étrange, presque irréelle. À l'intérieur de l'église, on offre des chandelles, des grains de maïs ou des pétales de fleurs aux ancêtres et aux saints des chrétiens devenus, pour les besoins de la cause, les dieux du maïs, de la pluie ou des récoltes.

À l'heure de la messe, les membres des différentes *cofriadas*, sortes de confréries religieuses, vêtus de leur costume traditionnel et portant des ostensoirs à bout de bras comme des symboles de leur autorité, se frayent un chemin dans la foule, souvent accompagnés du son du tambour, de la flûte et de quelques pétarades, et gravissent les marches en grande pompe jusqu'au parvis de l'église Santo Tomas. Puis ils s'agenouillent et se recueillent quelques instants avant de se joindre aux autres participants à l'intérieur de l'église pour la cérémonie dominicale.

Mais Derek n'était pas venu à Chichi pour y vénérer le dieu des chrétiens. Il était là pour rencontrer le dieu maya, Tumkaj.

Une dame du village qu'il venait de croiser aux abords du marché se laissa convaincre, en insistant un peu et après que Derek lui eut acheté un poulet, de le conduire tout en haut d'une colline surplombant le village jusqu'au lieu de Pascual Abaj.

C'est là que les habitants de la région font leurs offrandes sur un autel consacré à Tumkaj, représenté par un masque de pierre, de même qu'au dieu des chrétiens, représenté par une croix, et à ses saints devenus pour des raisons pratiques des dieux mayas.

Un filet de fumée alimenté par des aiguilles de pin qui brûlaient devant la représentation de la divinité montait vers le ciel. Une cérémonie était en cours. Un *brujo*, sorte de shaman, agissait comme officiant. La tête d'un poulet fraîchement sacrifié coiffait l'effigie de Tumkaj.

La présence de Derek semblait en déranger plus d'un, mais il avait eu le temps, sur le sentier menant au lieu de culte, d'expliquer un peu à la marchande la raison de sa visite et pourquoi il apportait une offrande à Tumkaj. Sa présence, une fois que la dame eut parlé au shaman, semblait donc tout à fait justifiée.

Derek ne savait trop à quoi s'attendre, mais il était convaincu, après les indications qu'il avait obtenues en Bolivie, qu'il devait se plier à ce rituel maya. Le poulet vivant allait servir au sacrifice.

Après avoir fait le tour de Derek avec le poulet, tenu par les deux pattes, tête en bas, pour éviter qu'il ne s'agite, le shaman, qui servait d'intermédiaire entre les hommes et les dieux, prononça les invocations habituelles à la divinité, coupa la tête de l'animal, répandit le sang de la victime sur le feu sacré et sur la représentation de Tumkaj, avant de remettre ce qu'il en restait à Derek. La divinité avait été honorée. La prière de Derek avait été entendue.

Si le rituel se passait d'explications, le shaman se limitant le plus souvent à ce rôle d'intercesseur auprès des paysans, ce dernier tint tout de même à rassurer le jeune étranger qu'il était désormais sous la protection de Tumkaj.

— Tu auras bien besoin de la protection de Tumkaj, précisa-t-il, surtout si tu souhaites poursuivre ta route plus au nord jusqu'au pays des *gringos*.

Les États-Unis étaient considérés par de nombreux Latino-Américains comme un lieu de perdition, loin des valeurs traditionnelles. Derek, au dire du shaman, n'était pas au bout de ses peines.

— Que devrais-je comprendre du fait que Tumkaj, dans la vision qu'en avait eue un *kallawaya* rencontré en Bolivie, portait mon médaillon ? demanda Derek au shaman avant de quitter les lieux.

— Cela donne encore plus de poids à mes dires, insista le shaman. Tu devras compter sur ton médaillon pour te sortir d'un mauvais pas. Tu cours un grave danger.

Malgré la mise en garde du shaman, Derek était bel et bien décidé à poursuivre sa route plus au nord. Ses fonds, malgré sa diligence, commençaient à manquer et il envisageait, le temps de se renflouer, un bref retour au Canada.

Chapitre 23
La Grosse Pomme

New York, États-Unis d'Amérique

Si Derek avait décidé de partir, c'était en grande partie pour prendre ses distances par rapport à une société qu'il jugeait trop prévisible, aseptisée et trop axée sur l'argent et le confort.

Il n'était pas prêt, au moment de son départ, à « jouer le jeu ». Mais quelques années plus tard et après avoir parcouru des dizaines de milliers de kilomètres, il l'était encore moins. Son voyage dans le temps et dans l'espace n'avait, tout compte fait, que contribué à élargir davantage le fossé entre ses aspirations et ce que la société nord-américaine avait à offrir.

Éternel adolescent, Derek éprouvait des difficultés à joindre les rangs, à intégrer le système, à se perdre dans cette foule anonyme et à participer à une société qui lui semblait beaucoup trop loin de ce qu'il voulait vivre. Il n'était pas prêt à limiter son horizon au neuf à cinq, au *happy hour* du vendredi ou au *cruising bar* du week-end.

S'il avait vécu un choc en mettant les pieds en Inde quelques années plus tôt, il vécut un autre choc en franchissant le Rio Grande qui séparait les États-Unis du Mexique. La société de consommation, qu'il avait essayé d'oublier en cours de route, le rattrapait. Le *corner store* et le *gas bar* résumaient toute l'Amérique. Derek était à nouveau face à ses origines.

Faute d'argent, dans un pays où il en fallait à tout prix, Derek se retrouva sur le *Strip*, la grande avenue bordée de casinos à Las Vegas, le temps de trouver un endroit pour dormir avant de reprendre la route vers Los Angeles et San Francisco.

À Las Vegas, son regard fut attiré par une vieille paire de chaussures qu'on avait jetée aux ordures. Elle se comparait avantageusement à celle qu'il portait déjà et qui était usée jusqu'à la semelle. Derek venait de régler au moins temporairement son problème de chaussures. Il pouvait poursuivre sa route.

Après avoir passé la nuit dans la benne d'un camion garé derrière un motel près de l'autoroute menant en Californie, Derek trouva rapidement, tôt le matin, une occasion de se rendre en auto-stop jusqu'à L.A., puis de poursuivre sa route jusqu'à San Francisco.

San Francisco offre, d'une certaine façon, un regard différent de l'Amérique. La ville est moderne certes, comme toutes les autres villes nord-américaines, mais elle est différente. San Francisco n'est pas une ville comme les autres. Elle se veut expérimentale et ouverte à toutes les tendances.

Vivre et laisser vivre est le mot d'ordre, et c'est un message qui convenait à Derek qui appréhendait ce « retour aux sources ». S'il pouvait apprécier la société nord-américaine pour ce qu'elle avait à offrir, il en connaissait aussi les limites. Peut-être cherchait-il le meilleur des deux mondes ? San Francisco allait permettre au jeune routard de se réconcilier avec une certaine Amérique.

Grâce à ce retour en Amérique du Nord, il allait pouvoir renouer avec un de ses passe-temps préférés : l'auto-stop. C'était une façon de rencontrer des gens et c'était probablement ce besoin de communiquer qui incitait nombre d'automobilistes à s'arrêter et à prendre le risque de laisser monter à bord un inconnu.

Derek, qui envisageait un séjour plus ou moins prolongé au Canada afin de gagner un peu d'argent pour mieux repartir, préféra emprunter, puisque c'était déjà l'automne, la route des États-Unis jusqu'à New York avant de remonter vers le nord. Il pensait ainsi profiter d'un temps plus clément et avoir le loisir de dormir à la belle étoile, évitant ainsi des frais d'hébergement qu'il ne pouvait pas payer. S'il s'était rasé au cours des dernières semaines, c'était surtout pour augmenter ses chances de trouver de bons samaritains qui lui permettraient de traverser rapidement l'Amérique d'ouest en est. À 100 km à l'heure, la décision de s'arrêter ou non pour laisser monter à bord un auto-stoppeur doit se prendre rapidement, et l'apparence compte pour beaucoup.

Sans un incident malheureux qui allait donner raison au shaman de Chichicastenango, Derek aurait traversé le pays de l'oncle Sam d'un océan à l'autre sans encombre. Mais le destin en avait décidé autrement.

À peine venait-il de s'installer pour la nuit dans la benne d'un camion en banlieue de New York, comme il avait pris l'habitude de le faire dans sa traversée des États-Unis, que le propriétaire dudit camion décida de reprendre la route. Pris au dépourvu, Derek eut tout juste le temps de sauter par-dessus bord avec son sac de couchage et ses quelques effets personnels, avant que le véhicule accélère et prenne une voie d'accès menant à l'autoroute. Seul, complètement nu, parachuté en pleine nuit dans un quartier inconnu, il allait se heurter, bien malgré lui, à la faune urbaine. Les murs délabrés du quartier transpiraient la misère. La tension sociale était palpable.

Aussitôt qu'il eut enfilé son jean et son t-shirt et mis ses « nouvelles » godasses, il fut interpellé par un groupe de jeunes Noirs qui passaient par là et qui ne cachaient pas leurs intentions. Il avait très vite été encerclé par la bande de voyous qui lui avaient fait les poches.

Derek, qui étirait ses derniers dollars, laissa ses agresseurs sur leur appétit. Il pouvait se passer d'argent pour les quelques heures de route qui le séparaient encore de la frontière canadienne, mais il devait sauver sa peau. La mise en garde du shaman guatémaltèque, qui ne voyait pas d'un bon œil son projet de poursuivre sa route vers le nord, prenait tout son sens.

Derek était dans de beaux draps et ne voyait pas comment il pouvait s'en sortir.

S'il devait, consciemment cette fois, miser sur les pouvoirs de son médaillon, c'était maintenant ou jamais.

Tout à coup, sorti de nulle part, un autre groupe de jeunes Noirs apparut, prit le parti de Derek et força le leader de l'autre bande à lui remettre son dû. Derek l'avait échappé belle !

Ce revirement de situation ne pouvait être l'effet du hasard.

— Bienvenue dans la *Big Apple,* dit d'un ton rassurant celui qui semblait être le chef, avant de lui proposer de le conduire en lieu sûr.

Derek ne se fit pas prier, et c'était, pour ainsi dire, en bonne compagnie qu'il allait arpenter les rues de Brooklyn.

Il n'était plus seul et la référence à la Grosse Pomme, lui rappelant les paroles du vieil homme de Bénarès, donnait encore plus de crédibilité à la thèse qu'il était en présence de forces occultes.

New York est une ville qui ne dort jamais et résume à elle seule tous les travers d'une société qui a le mal de vivre. À New York, toutes les cultures se bousculent et se télescopent pour former cette Amérique qu'on parvient difficilement à cerner, qu'on aime et qu'on déteste tout à la fois. Si les points de repère existent pour qui les cherche un peu, ils semblent se transformer constamment comme s'il fallait chaque fois tout reprendre à zéro.

Difficile de dire également à quoi ressemble le New-Yorkais typique tellement tout le monde semble investi d'une mission et y met du sien sans s'occuper des qu'en-dira-t-on. À New York, le spectacle est avant tout dans la rue et chacun, consciemment ou non, y participe.

Frank, ce jeune Noir à l'allure décontractée qui avait laissé sa bande pour quelques heures afin d'accompagner Derek et de lui permettre de sortir vivant de ce dédale de ruelles mal famées des bas-fonds de la ville, était un de ces acteurs en coulisse de la *Big Apple*. Fort en gueule, il se vantait ouvertement des mauvais coups qu'il commettait sans vergogne et n'hésitait pas à prendre Derek à témoin, à défaut d'en faire un complice, si une occasion se présentait sur sa route. Un hangar mal verrouillé ou une voiture garée au mauvais endroit devenait une cible facile. Les édifices hérissés d'échelles de secours de Brooklyn étaient bien utiles aux voyous de tout acabit qui les utilisaient comme portes de sortie pour prendre la fuite par les toits après avoir commis leurs larcins.

Pour Derek, qui venait de vivre son *West Side Story* et ne pouvait pas vraiment prendre congé de son hôte, la nuit allait être longue.

Pendant que Frank marchait en silence d'un pas rapide – ainsi, même un habitué des bas-fonds de la ville pouvait avoir hâte d'en sortir –, Derek ne pouvait s'empêcher de ressasser les paroles du vieil hindou qui lui avait dit qu'une pomme ferait effectivement partie de son destin. Derek allait survivre à la Grosse Pomme.

Frank, que Derek avait appris à connaître un peu au cours de cette randonnée impromptue dans la nuit froide marquant la fin de l'automne, ne semblait rien comprendre à son projet, à ce long périple qu'il avait entrepris autour du monde. Pour la plupart des gens, l'horizon se conjuguait au présent et le présent était avant tout une question de survie.

D'une certaine façon, la survie était également le lot de Derek. Mais si, pour lui, cette expérience de survie était un choix délibéré et se situait un peu hors du temps et hors des sentiers battus, comme une expérience qui avait un début et qui aurait probablement une fin, pour beaucoup de gens rencontrés sur sa route, cette survie se vivait tous les jours et s'imposait par la force des choses, comme s'il n'y avait aucune porte de sortie.

— Tu dois avoir hâte de retourner chez toi ? demanda Frank alors qu'ils s'engageaient sur le pont de Brooklyn.

Derek ne savait que répondre. Il voyait son retour au Canada comme un passage obligé, certainement pas comme un point final à son périple. Après quelques années de vagabondage, le terme « chez-soi » avait un peu perdu de son sens. Derek avait de plus en plus l'impression de vivre dans un monde à part.

Plusieurs de ses camarades de longue date, avec qui il avait gardé contact par Internet, avaient déjà fait des choix de vie et s'étaient intégrés au métro-boulot-dodo. Derek n'était pas prêt. Il retournait au Canada par curiosité, pour voir si les choses avaient changé depuis son départ, pour faire le point, comme s'il souhaitait vraiment que les choses aient changé, mais sans y croire.

— Non, pas vraiment, se contenta-t-il de répondre après un long silence.

— Comment ça, pas vraiment ? insista Frank, visiblement surpris de la réponse.

— Parce que j'ai un peu l'impression d'être comme toi, enchaîna Derek. À ma façon, j'ai choisi d'errer pendant un certain temps. J'imagine que chacun trouve une façon de vivre ses remises en question et de remettre certaines décisions à plus tard.

Derek prenait soudainement conscience que tous les deux étaient habités par le même mal de vivre, une sorte de fuite en avant pour repousser l'échéance d'une vie rangée et conforme aux normes d'une société aseptisée. Il avait amplement le temps de devenir le « bon gars » qui s'intègre et joue le jeu.

— N'as-tu jamais pensé que ta vie pourrait être différente ? renchérit Derek, comme pour retourner la question à son interlocuteur.

C'était trop demander à un gars obligé de répondre à ses besoins primaires. Il n'avait que faire de toutes ces questions existentielles.

Le jour venait de se lever sur les docks donnant sur l'East River et bientôt les tours de Manhattan allaient perdre de leur luminosité et de leur éclat pour laissèr place à la grisaille et permettre à chacun de plonger à nouveau dans l'anonymat de la ville.

Ils arrivèrent bientôt à la gare routière près de Times Square. Derek prit un autocar, afin de sortir de la grande ville avant de poursuivre sa route vers le nord.

Chapitre 24
Dans les coulisses du marché By

Ottawa, Canada

Situé à l'ombre de la Tour de la Paix qui chapeaute le parlement canadien, le marché By est sans contredit le cœur et l'âme de la ville d'Ottawa. C'est dans ce quartier aux accents d'autrefois que Derek avait décidé de jeter l'ancre.

Au marché By, dès six heures du matin, les fermiers et vendeurs ambulants déchargent leur camion et étalent leur marchandise sur les tréteaux autour de l'édifice du marché. C'est le coup d'envoi des activités de la journée. Puis, tour à tour, les fromageries, charcuteries, boucheries, boulangeries et pâtisseries ouvrent leurs portes. La foule devient, au fur et à mesure que le jour avance, de plus en plus dense. À midi, l'animation est à son comble autour du marché et les restaurants et cafés font déjà de bonnes affaires. Vers 18 h, alors que les fermiers et marchands ambulants plient bagage, de nombreux restaurants affichent déjà complet, et les bars et les pubs commencent à prendre la relève jusqu'en début de nuit. Si la clientèle change tout au long de la journée, l'animation demeure, et tous, quel que soit leur intérêt, semblent être de la partie et y trouver leur compte.

Derek avait déniché un travail dans une poissonnerie du marché By. Ce travail, pour une courte période, lui permettait de profiter de l'ambiance un peu bohême qui transpirait de ce quartier. Il garderait ainsi contact avec la faune urbaine qui rôdait tout autour et qui y cherchait un peu de chaleur pour lutter contre les rigueurs de l'hiver canadien.

C'est lors de ce séjour à Ottawa qu'il fit la connaissance d'un Amérindien qu'il croisait régulièrement près du marché. Dans une autre vie, Derek aurait peut-être passé son chemin, considérant, comme le font la plupart des gens, les Amérindiens comme des gitans nord-américains, vivant en marge de la société. Mais ses contacts répétés avec les différents peuples autochtones de la planète et les mésaventures entourant son médaillon lui donnaient une perspective différente.

Ses longs cheveux noirs couvrant des tempes grisonnantes, ses traits coupés à la hache et son allure négligée ne le rendaient pas, de prime abord, très sympathique aux yeux de l'homme blanc. Toutefois, pour Derek, Nootau évoquait tout l'exotisme de ces gens venus d'ailleurs. Derek pouvait s'identifier plus que quiconque à ce personnage haut en couleur qui incarnait si bien la société parallèle dans laquelle il avait l'impression de se retrouver bien souvent. Consciemment ou non, Nootau l'Amérindien, ses valeurs et sa culture hors norme expliquaient peut-être ce qui le définissait comme Nord-Américain.

De fait, après trois ans d'absence, Derek se reconnaissait encore moins qu'avant son départ dans cette société de consommation qui était le lot de la plupart des gens qu'il côtoyait. Allait-il pouvoir un jour réintégrer cette société? Il avait des doutes. Allait-il vouloir un jour se jeter dans le moule qu'il avait lui-même brisé? Son cheminement ne ressemblait en rien à ce que la société avait à lui proposer.

Les Amérindiens croient que toute chose est habitée par des esprits, et pour Nootau, le médaillon de Derek ne faisait pas exception.

— Tu devras, dit le vieil Amérindien, chercher l'équilibre et maintenir l'harmonie autour de toi si tu veux poursuivre ta route et demeurer en contact avec les esprits.

Voilà un message qui collait bien à la démarche de Derek et au défi qu'il devait relever. Il avait laissé une copine au Canada au moment de partir pour l'Inde quelques années plus tôt, mais le temps avait fait son œuvre. Les échanges de courriels, plus ou moins réguliers au début, s'étaient faits de plus en plus rares. Ils n'étaient plus sur la même longueur d'onde. Le métro-boulot-dodo de l'un était irréconciliable avec le vagabondage de l'autre.

Si le temps des fêtes avait permis certaines retrouvailles avec parents et amis, là encore, un fossé s'était creusé. Derek vivait peut-être trop sur un nuage pour en redescendre et il était bien difficile pour les autres de sortir un tant soit peu de leurs préoccupations quotidiennes et de comprendre sa démarche.

Le milieu qui l'avait vu grandir semblait incapable d'intégrer le citoyen du monde qu'il était devenu et lui-même n'avait pas le goût de revenir en arrière. La situation semblait sans issue. Derek se trouvait dans un cul-de-sac.

Pour le jeune routard, le compte à rebours avait effectivement commencé dès qu'il avait mis les pieds en sol canadien. Dès son retour au pays, il fourbissait déjà ses armes. Avec l'arrivée du printemps, il ne pensait qu'à reprendre le large.

Chapitre 25

Dans la « Voie lactée »

Amsterdam, Pays-Bas

Derek, même s'il avait fait le plein de dollars, savait pertinemment que s'il voulait tenir la route il devait voyager au moindre coût. Amsterdam étant une ville chère, il dut se contenter dans un premier temps et faute de bien la connaître d'un banc public dans le parc Vondel, au milieu des clochards et autres paumés de ce monde.

La nuit avait été froide. Il n'avait pas bien dormi, mais c'était le prix à payer pour retrouver sa liberté et sa vie de nomade après plusieurs mois à travailler en sol canadien. Cette nuit-là – et c'était très clair dans sa tête –, il n'aurait changé de place avec personne.

Amsterdam, une ville décontractée et nonchalante, allait faire le reste et lui permettre de replonger dans sa vie de routard.

À Amsterdam aussi, le mot d'ordre est vivre et laisser vivre. Pas étonnant que ce San Francisco d'Europe ait été le rendez-vous des hippies dans les années 1970 et soit toujours un lieu de convergence pour tous ceux qui souhaitent vivre autrement. Amsterdam accepte la différence et s'accommode bien des travers de chacun.

Derek n'allait pas tarder, comme tous les jeunes qui en font une halte incontournable, à prendre racine. Il devint rapidement un habitué du Café Kris, un des plus vieux cafés bruns du

Jordaan qui a pignon sur Bloemstraat et qui est le lieu de rendez-vous des étudiants. Ce café brun, comme des centaines du genre à Amsterdam, doit son nom à la couleur de nicotine de ses murs et de ses plafonds, résultat de décennies, voire de siècles de conversations enfumées devant un verre de bière ou de genièvre, la boisson nationale des Pays-Bas.

C'était le week-end de la fête de la Reine ou du Roi en cette fin d'avril et, pendant trois jours, tout le pays s'était donné rendez-vous à Amsterdam.

Le *Koningsdag* ou *Koninginnedag* (jour de la fête du roi ou de la reine) commence tôt, alors que les jeunes familles envahissent le parc Vondel pour offrir leur bric-à-brac. C'est, de plus, une occasion rêvée pour permettre aux enfants d'étaler leurs talents. Chanteurs, danseurs et musiciens en herbe se donnent en spectacle, la générosité des passants servant de baromètre à leur performance et un encouragement ou non à faire carrière.

Mais la fête proprement dite se passe dans la rue alors que des vedettes de la chanson font vibrer la foule. Les rues étroites et les canaux du vieil Amsterdam sont envahis par des centaines de milliers de jeunes fêtards qui n'en ont que pour les bars. La bière en fût coule à flots.

L'ambiance qui règne dans la capitale des Bataves pendant ce long week-end est contagieuse. Au Leidseplein, au Dam, au Muntplein, au Nieuwmarkt, c'est l'embouteillage, tellement la foule est dense. T-shirts, chapeaux aux formes les plus farfelues, perruques, couronnes, cravates, boas, foulards et tout ce qui est orange, la couleur de la famille régnante d'Orange-Nassau, servent de passe-partout et distinguent le fêtard du simple spectateur.

Devant une telle invasion, les autobus et les tramways n'ont d'autre choix que de faire relâche. Sur le canal Prinsengracht, entre Leidsegracht et Reguliersgracht, des dizaines d'embarcations de toutes sortes, remplies de fêtards et crachant leur musique à tue-tête, donnent le ton. Là encore, c'est l'embouteillage pour le plus grand plaisir des passants qui envahissent les nombreux ponts afin de profiter de l'ambiance qui prévaut sur le canal. Les prostituées du *Red Light District* tournent elles aussi cette fête à leur avantage et n'attendent pas la tombée du jour pour offrir leurs charmes.

Derek avait appris à faire confiance aux gens qu'il croisait sur sa route. Il se devait de le faire. Sans cette confiance, la rencontre avec l'autre n'aurait pas été possible. Il se fiait à son instinct. Mais son instinct pouvait parfois lui jouer de mauvais tours. En l'espace d'une soirée, tout allait basculer, l'obliger à mettre fin à la fête et à reprendre la route.

Sans trop comprendre ce qui lui arrivait, Derek se retrouva, au petit matin, assis par terre près du bar, dans l'ambiance assourdissante du *Melkweg* (la Voie lactée), une ancienne laiterie convertie en boîte de nuit, qui donne sur Lijnbaansgracht. Comment était-il arrivé là ? Il n'en savait trop rien. L'odeur de marijuana lui montait au nez et personne ne semblait lui porter une attention particulière.

Alors qu'il reprenait ses sens, il consulta furtivement sa montre. Il était trois heures, probablement du matin à en juger par l'ambiance qui régnait alors. Derek avait une de ces migraines dont il se serait bien passé.

Ses derniers souvenirs le ramenaient au Café Kris. Puis, plus rien. Avait-il été drogué ? Si oui, pourquoi ?

Faute de trouver des réponses à ses questions et ne reconnaissant aucun visage, il quitta les lieux.

La nuit froide aux abords du canal de Lijnbaansgracht sortit Derek de sa torpeur et raviva ses sens. En se recroquevillant sur lui-même afin de conserver un peu de chaleur, quelque chose attira son attention.

Le médaillon, qui ne l'avait pas quitté depuis trois ans, avait disparu.

Derek eut soudain l'impression que son monde basculait, comme si le médaillon avait été, au cours des dernières années, une sorte de compagnon de voyage irremplaçable qui avait pris une place de plus en plus importante dans sa vie. N'avait-il pas, au cours des derniers mois, appris à mieux cerner ses pouvoirs ? Le médaillon n'était-il pas devenu, en quelque sorte, une protection contre tous les dangers, une sorte de talisman censé le protéger du mauvais œil et de tous les maux ? Qui aurait bien pu avoir intérêt à le lui ravir ?

Derek trouva à peine l'énergie de retourner à l'appartement qu'il partageait depuis peu dans le Jordaan avec d'autres jeunes étrangers. Il était conscient, en raison de la nuit froide et de la longue marche qu'il venait d'effectuer, qu'il en serait quitte pour un bon rhume. Il tombait de sommeil. La nuit porterait sûrement conseil.

Lorsqu'il se leva, la tête lourde, la journée était déjà avancée et son premier réflexe fut de retourner au Café Kris.

Le temps d'enfiler t-shirt et pantalon, il arpentait déjà Bloemstraat.

Quelle ne fut pas sa surprise, quand il franchit le seuil du café brun, de se retrouver face à face avec Hank, ce type qu'il avait croisé à quelques reprises sur sa route en Asie. Il avait changé, mais Derek reconnaissait bien cet air hagard, ce regard fuyant et inquiet.

— Hank! s'exclama Derek, un peu hésitant, comme s'il n'en croyait pas ses yeux. Est-ce bien toi ?

Visiblement embarrassé, Hank hésita et aurait sûrement poursuivi sa route si Derek ne s'était fait insistant.

— Derek? dit-il timidement, comme s'il se résignait à reprendre contact. Que fais-tu ici ?

— J'allais te poser la même question. Je te croyais toujours en Asie. Ça fait longtemps que tu es à Amsterdam ?

Derek ne put s'empêcher de faire le lien entre Hank et son médaillon perdu, un peu comme si l'histoire se répétait. Comment aurait-il osé, se demanda Derek en dévisageant son interlocuteur, après ce qui lui était arrivé à Katmandou ? La question lui brûlait les lèvres.

— Mon médaillon ? Tu te souviens de mon médaillon ? enchaîna Derek, mettant clairement son vis-à-vis mal à l'aise.

Seul un oui hésitant fit écho à sa question.

— As-tu vu mon médaillon ? insista Derek en haussant le ton, passant outre les formalités d'usage.

— Pourquoi aurais-je vu ton médaillon ? protesta Hank, se sentant au banc des accusés. Qu'est-ce que j'en ferais de ton médaillon ? Ne penses-tu pas que j'ai tiré ma leçon ? Je n'en ai rien à foutre de ton médaillon. Je me barre !

— Pas si vite, insista Derek qui sentait que cette discussion ne menait nulle part. Tu sais à quel point ce médaillon est important pour moi. On me l'a piqué. On me l'a chipé.

Derek devenait nerveux et Hank sentait le besoin de calmer le jeu afin de mieux comprendre ce qui arrivait au jeune routard. S'il semblait n'avoir rien à voir cette fois avec la disparition du médaillon, il avait toujours une dette envers Derek et traînait un sentiment de culpabilité par rapport aux événements survenus à Katmandou.

— Je ne sais pas si je peux t'aider, répliqua Hank sur un ton plus conciliant. Si tu m'expliquais ce qui t'arrive...

Derek ne savait plus où donner de la tête. Hank n'était peut-être pas la bonne personne pour lui remonter le moral et l'aider à y voir plus clair, mais il connaissait son histoire, l'importance de ce médaillon et il était du pays.

— Tu devrais rentrer chez toi, conclut Hank, après avoir écouté Derek lui expliquer les circonstances entourant la disparition du médaillon.

Derek était décidément trop ébranlé pour y voir clair. Hank promit de mener sa petite enquête. Il était lui-même un habitué du Café Kris et connaissait beaucoup de gens à Amsterdam.

— Repose-toi, renchérit Hank, laisse-moi tes coordonnées et je te tiens au courant.

Derek avait du sommeil à rattraper. Ils se donnèrent rendez-vous le lendemain après-midi, même heure, même poste.

Lorsque Derek se présenta le lendemain au Café Kris, il était toujours aussi nerveux. Il craignait, non sans raison, que plus le temps passerait, moins il aurait de chance de retrouver son médaillon. Le temps jouait contre lui. Il consulta furtivement sa montre.

Hank n'était pas au rendez-vous.

Qu'est-ce qu'il fout encore? pensa Derek qui n'avait jamais vraiment fait confiance à ce type.

— Vous n'auriez pas vu un gars aux cheveux châtains et frisés? demanda Derek au barman. Il semble être un habitué.

— Tu parles de Hank? répliqua le barman en faisant tout à coup une tête d'enterrement.

— Oui, de Hank, répondit Derek. Qu'y a-t-il? L'avez-vous vu aujourd'hui?

— Pas vraiment. Tu n'es pas au courant? enchaîna le barman en le regardant par-dessus ses lunettes et en continuant de s'affairer autour du bar.

— Non! répliqua nerveusement Derek. Que se passe-t-il? Que lui est-il arrivé?

— Son corps a été retrouvé dans le canal Lijnbaansgracht tôt ce matin. La police mène une enquête. Deux agents sont même venus ici ce midi à la recherche d'indices. Ils savent qu'il était un habitué du coin. Ils cherchent un mobile. Tu le connaissais depuis longtemps? interrogea à son tour le barman.

— Oui et non, répondit Derek sur un ton hésitant, avant de tourner les talons et de se diriger vers la sortie.

Il y avait sûrement un lien, pensa Derek en quittant le Café Kris, entre la disparition de son médaillon et la mort de Hank. N'est-ce pas aux abords du Lijnbaansgracht que se trouve le *Melkweg*? Que faisait Hank dans les parages? Était-il sur une piste ou impliqué directement dans toute cette affaire? Il ne le saurait peut-être jamais.

Derek n'avait pas le choix. Cette hypothèse n'était peut-être pas la bonne, mais c'était la seule qu'il avait et qui était porteuse d'espoir. C'était la seule piste qui, à sa connaissance, pouvait lui permettre de retrouver son médaillon.

En quittant Bloemstraat, la manchette du *De Telegraaf*, un des quotidiens d'Amsterdam vendu en kiosque, attira l'attention de Derek. Dans cette édition du soir, on faisait référence à la macabre découverte. D'après ce qu'il pouvait comprendre, la police n'avait pas vraiment, contrairement à Derek, d'explication plausible sur les circonstances de ce drame.

S'il avait peut-être une longueur d'avance sur la police d'Amsterdam, Derek n'avait sûrement pas les moyens dont les forces de l'ordre disposaient pour mener à bien sa propre enquête. Il allait devoir choisir entre partager le peu d'informations qu'il avait, raconter son histoire rocambolesque et peu crédible et, de ce fait, devenir un suspect, ou tout garder pour lui.

Il allait opter pour la deuxième solution, quitte à réviser sa position au fil des événements.

Le *Melkweg* semblait un bon endroit pour commencer sa propre enquête. Les nuits étaient longues au *Melkweg,* et comme l'incident était survenu non loin de là, des habitués de l'endroit pouvaient peut-être le mettre sur une piste.

Derek n'avait rien à perdre.

Chapitre 26
Sur la place Jemaa el-Fna

Marrakech, Maroc

Derek nageait toujours en plein mystère lorsqu'il quitta Amsterdam. L'enquête policière piétinait. La piste la plus crédible concernait un certain Mamadou, originaire du Mali, qui avait déjà eu maille à partir avec des habitués du *Melkweg* et qui était recherché par la police. De toute évidence, les jours de ce sans-papiers étaient comptés.

Très superstitieux, Mamadou vivait, selon les gens du milieu, de la vente de breloques, de gris-gris et d'autres objets fétiches qui trouvaient preneurs dans certains milieux fréquentés par des immigrants.

Derek n'avait jamais rencontré Mamadou. Il semblait avoir disparu sans laisser de traces au lendemain de la mort de Hank. Peut-être, au dire de certains, était-il retourné dans son pays d'origine.

Quoique les indices le concernant étaient plutôt minces, son intérêt pour les objets fétiches – et donc son médaillon – en faisait un suspect aux yeux de Derek. Grand et mince, il ne passait pas, disait-on, inaperçu. S'il était en route pour le Mali, il ferait d'abord halte à Paris, avant d'atteindre l'Afrique en passant par le détroit de Gibraltar.

Derek croyait être sur une piste. Toutefois, c'est avec plusieurs jours de retard sur Mamadou qu'il prit la route.

La vie continuait avec ou sans médaillon, mais il se sentait responsable, compte tenu des circonstances entourant cet objet devenu fétiche à ses yeux, de le ramener à bon port. Déjà une chose était claire dans son esprit: il devait revenir à la case départ et retrouver l'Inde.

Ses contacts auprès de la communauté d'origine malienne à Paris ne donnant pas les résultats escomptés, Derek décida de mettre rapidement le cap sur l'Afrique où le bouche-à-oreille fait des merveilles. On ne voyage pas incognito en Afrique.

S'il avait des chances de retrouver Mamadou, c'était, pensait-il, à Marrakech, une ville qui est depuis un millénaire un grand créneau culturel et un des endroits les plus fascinants de la planète. C'était un passage presque obligé pour tous les routards de ce monde.

Déjà dans les années 1960, c'était un lieu de rendez-vous de prédilection des hippies, et pour cause. Marrakech a toujours su conserver une ambiance très spéciale et inspirer les voyageurs les plus blasés, qu'ils aient ou non été sous l'effet du haschich qu'on trouve facilement sur les marchés marocains.

La place Jemaa el-Fna, au cœur de la vieille ville, résume à elle seule toute la culture marocaine. Elle se transforme à toute heure du jour tantôt en marché d'épices et de légumes, tantôt en grande foire et fête foraine où se retrouvent baladins, guérisseurs, musiciens, diseurs de bonne aventure, astrologues, arracheurs de dents, montreurs de singes, numérologues, cracheurs de feu, mangeurs de verre, dompteurs de scorpions, porteurs d'eau, danseurs, jongleurs et charmeurs de serpents. À la tombée de la nuit, elle devient une immense gargote à ciel ouvert où on grille brochettes et merguez, beignets et galettes qu'on savoure en fumant le narguilé ou en écoutant les conteurs populaires transmettre aux plus jeunes la tradition orale.

Déjà au lever du jour, à l'heure où les boulangers sortent leur pain du four, Marrakech se donne en spectacle et les premiers bateleurs envahissent la place. Le marché bat déjà son plein quand les amuseurs publics et les saltimbanques s'y installent pour faire recette avant que les popotes mobiles se joignent à la fête jusque tard dans la nuit.

Jemaa el-Fna est le rendez-vous de l'imprévisible et du rêve. C'est un spectacle permanent et certainement une des plus belles expériences marocaines.

Derek s'installa, le temps de prendre le pouls de cette ville et de mener sa petite enquête, dans un hôtel qui donnait sur une ruelle à proximité de la place Jemaa el-Fna, au cœur de la médina.

La médina de Marrakech est un véritable dédale où on ne peut circuler qu'à pied. À défaut de se retrouver dans ce labyrinthe sans issue, mieux vaut accepter de s'y perdre, quitte à demander la sortie lorsqu'on est trop étourdi par l'ambiance qui y règne ou qu'on sent le besoin de reprendre le contrôle de la situation et de revenir au XXIe siècle.

Comme il ne savait pas comment trouver Mamadou, Derek n'eut d'autre choix que de se laisser porter par la marée humaine et de s'enfoncer dans la médina où se regroupaient tanneurs, ébénistes, tailleurs, orfèvres, dinandiers et teinturiers.

Connaissant les intérêts de Mamadou pour les bijoux et autres objets d'art, Derek se dirigea vers le quartier des orfèvres qui semblait l'endroit tout désigné pour commencer ses recherches. Faute de pouvoir décrire l'homme, il pouvait toujours décrire le médaillon.

Au cœur du quartier des orfèvres, on croyait bien avoir croisé un certain Mamadou, mais ce dernier ne correspondait pas à la description que Derek en faisait. On le présentait plutôt comme un type maigre et mal en point. Il n'était pas passé inaperçu aux yeux de certains puisqu'il disait vouloir conjurer une sorte de mauvais sort qui s'était abattu sur lui.

— Je lui ai même conseillé, expliqua un certain Abdel, d'aller consulter un vieil homme qui est toujours sur la place Jemaa el-Fna en début de soirée. Il donne un sens à sa vie en transmettant aux enfants de Marrakech, qui s'attroupent assis par terre autour de lui, les traditions, contes et légendes du monde berbère.

— Quel est le nom de cet homme ? demanda Derek un peu anxieux en pensant qu'il s'approchait du but.

— Il se nomme Mustafa, répondit Abdel qui de toute évidence s'attendait à recevoir un bakchich pour services rendus.

Derek tendit un billet de cinq dirhams et accepta de se laisser conduire dans le labyrinthe de la médina jusqu'à la place Jemaa el-Fna.

— As-tu remarqué un signe particulier ? poursuivit Derek, en essayant de se faufiler entre les charrettes tirées par des ânes qui assuraient le transport dans la médina.

— Que veux-tu dire ? Pourquoi t'intéresses-tu à cet Africain ? De toute façon, il a probablement déjà quitté la ville. Il n'est pas d'ici, ça c'est certain.

Derek n'avait pas l'intention d'entrer dans les détails, mais une question lui brûlait les lèvres.

— Portait-il un médaillon... ou un bijou quelconque ? demanda finalement Derek après quelques hésitations.

— Je suis orfèvre, souligna Abdel et, à ce titre, j'ai bien remarqué qu'il portait un médaillon. Tout ce que je sais, c'est que ce médaillon n'est pas berbère. Il n'a sûrement pas été fabriqué au Maroc.

Avant de retourner à ses occupations, Abdel indiqua vaguement à Derek dans quel coin de la grande place il pourrait rencontrer Mustafa.

C'était l'heure où les popotes mobiles commençaient à s'installer et à faire concurrence aux amuseurs publics. C'était aussi le moment idéal, à la fin de la journée, pour se laisser bercer par les traditions toujours vivantes sur la route des casbahs.

S'il ne devait y avoir qu'un seul survivant du monde berbère, ce serait Mustafa, pensa Derek en apercevant le vieil homme qu'on lui indiquait du doigt. Assis par terre, coiffé d'un vieux turban et le visage abîmé par le froid et le soleil du Haut Atlas, il avait quitté la vallée du Draa et sa vieille demeure fortifiée plusieurs années auparavant pour tenter de garder bien vivantes les traditions de son peuple. Devenu conteur par la force des choses pour survivre dans la grande ville, il semblait lui-même sorti d'un vieux livre d'histoire poussiéreux qui aurait été oublié dans un grenier depuis longtemps. Les ksars, ces villages fortifiés du sud du Maroc, dataient d'une période révolue, mais Mustafa était bien réel et incarnait à lui seul tout le passé du Maghreb.

S'il parlait bien quelques mots de français, il avait bien peu à dire sur celui que Derek appelait Mamadou. Il n'avait pas été en mesure d'aider l'homme qui était venu le voir quelques jours plus tôt et de cerner le mal qui le frappait.

— Il semblait même craindre pour sa vie, dit Mustafa, et il était pressé de rentrer chez lui, au pays dogon, pour prendre conseil auprès du *hogon*, le chef spirituel de son village.

Ces indices, même s'ils étaient bien minces, confirmaient les doutes de Derek. Mamadou se dirigeait bel et bien vers le Mali. Derek était sur la bonne voie. Mamadou le Dogon n'avait pas compris que le mauvais sort s'acharnerait sur lui aussi longtemps qu'il aurait le médaillon en sa possession.

Chapitre 27
Le train du désert

Chinguetti, Mauritanie

Un autocar conduisit Derek de Marrakech à Dakhla.

Entre Dakhla, tout au sud du Maroc, et Nouadhibou, en Mauritanie, c'est un *no man's land* où il n'y a pas âme qui vive, mis à part les quelques douaniers et militaires qui assurent la légitimité de leurs frontières respectives.

Une fois du côté mauritanien, une *khaïma,* la tente des Maures, servait de poste frontalier. À l'intérieur, quelques lits de camp, un brûleur à gaz pour la cuisine, quelques contenants d'eau, des chaudrons et de la vaisselle. Un quartier de viande suspendu au plafond complétait le décor. Au milieu de ce bric-à-brac, quelques hommes vêtus d'un boubou, coiffés d'un turban et assis par terre sur une natte autour d'un plat de riz et de viande, mangeaient avec appétit. On invita Derek à table.

Une fois ce premier contact établi, Derek pouvait passer aux formalités d'usage comme si le temps ne comptait plus dans le désert. Le visa, pourtant obtenu en bonne et due forme, n'était qu'une condition parmi d'autres pour entrer dans le pays. Après avoir gagné la confiance des Mauritaniens, Derek pouvait obtenir le précieux tampon d'entrée qui allait lui permettre, après quelques heures de discussion et de bons procédés, de poursuivre sa route. La rencontre avec l'Afrique noire est avant tout personnelle.

La Mauritanie est en quelque sorte une dernière frontière, une des dernières terres d'aventure de la planète.

C'était un pays où, n'en déplaise à Derek, le temps ne comptait pas. Il allait donc devoir prendre son mal en patience et se mettre à l'heure de l'Afrique.

Pourquoi venir en Mauritanie si ce n'est pour rencontrer les Maures ? conclut-il, résigné à prendre du retard dans cette poursuite insensée et cette course contre la montre qui, il en était bien conscient, n'était pas gagnée d'avance. Et si Mamadou mourait ? pensa-t-il en songeant à son expérience tibétaine.

Faute de route, un train minéralier part de Nouadhibou et rejoint l'intérieur du pays et le désert. Transportant le minerai de fer extrait du désert jusqu'au port de Nouadhibou, le train repart ensuite à vide pour s'enfoncer à nouveau au cœur du Sahara. Il est possible d'y monter gratuitement en s'installant dans un wagon vide, quitte à sauter comme une crevette à la poêle dès que le train se met en marche. Mais on peut également, pour quelques dollars, monter dans le seul wagon passager et franchir ainsi des centaines de kilomètres au cœur du désert.

À l'arrivée du train à la gare de Nouadhibou, c'était la cohue. Il était évident, compte tenu du nombre, que tous ne pourraient monter à bord du wagon passager et qu'il faudrait jouer du coude pour se tailler une place plus ou moins confortable pendant les douze heures que devait durer le trajet. Les hommes, comme pour respecter une convention non écrite, s'installèrent sur les bancs de bois se faisant face des deux côtés du wagon, alors que les femmes prirent place par terre sur des nattes ou des couvertures qu'elles avaient apportées dans leurs bagages.

La nuit allait être longue. Il était impossible de circuler dans ce wagon sans fenêtres et mal éclairé où les gens étaient entassés comme du bétail. Les odeurs nauséabondes, faute d'aération adéquate, prenaient le dessus avant même le départ pour devenir de plus en plus persistantes en cours de route.

Le soir tombait rapidement. Derek profita des dernières lueurs du jour pour manger quelques craquelins qu'il avait apportés dans ses bagages.

Un chant plaintif, sorte de fado mauritanien, réussit à endormir les enfants et incita les plus grands à y joindre leur voix pendant que d'autres se mirent à battre la mesure avec tout ce qui leur tombait sous la main. Cette fête improvisée et spontanée dura quelques heures avant que tous s'endorment, étendus par terre les uns contre les autres, jusqu'à l'arrivée à Choum au petit matin.

Après l'hommage rendu à Allah sur des tapis à prière étendus aux abords de la voie ferrée, Derek put se joindre aux autres passagers et reprendre la route, en taxi-brousse cette fois, pour Atar et Chinguetti.

Chinguetti, du temps des caravaniers, était une escale importante sur la route de Tombouctou. Si aujourd'hui cette oasis du bout du monde semble abandonnée à son sort, il y eut un temps où la septième ville sainte de l'Islam attirait les lettrés de l'ensemble du monde arabe. De ce passé prestigieux, alors que Chinguetti comptait religieux, philosophes, poètes, docteurs ou mathématiciens, il ne reste à peu près rien, sinon des manuscrits accumulés au cours des siècles par quelques familles, documents qui feraient l'envie des plus grands musées du monde.

À voir les hommes vêtus de leur plus beau boubou et les femmes de leur *melhfa* (une grande pièce de tissus aux couleurs flamboyantes qui couvre tout le corps) flâner dans les rues de Chinguetti aux abords du marché tôt le matin ou en fin d'après-midi quand la température y est plus supportable, Derek avait un peu l'impression que le temps s'était arrêté dans la ville sainte. La terre tournait peut-être trop vite ailleurs sur la planète, mais à Chinguetti...

Une chose était certaine, si Mamadou avait fait escale à Chinguetti, il le saurait rapidement. Un des gardiens de ces bibliothèques du désert lui permit de prendre une décision qui allait être cruciale pour la suite des choses.

« Le Vieux », comme on l'appelait affectueusement à Chinguetti, prétendait avoir effectivement croisé sur sa route celui que Derek talonnait depuis déjà plusieurs semaines.

— Je l'ai rencontré au marché d'Atar, confia-t-il à Derek, alors qu'il négociait une place dans une méharée jusqu'à Tombouctou, un voyage de 40 jours à dos de dromadaire.

S'il avait déjà quitté le pays, pensa Derek, il avait bien peu de chance de le rattraper en utilisant le même moyen de transport. L'avion étant hors de prix en Afrique, il ne pouvait que prendre la route par Nouakchott et le Sénégal et, de là, se rendre au Mali à bord du train Dakar-Bamako.

Une fois à Atar, Derek n'eut aucun problème à dénicher, aux abords du marché où Mamadou était sans doute passé quelques jours plus tôt, un de ces taxis collectifs qu'on trouve à des points de rencontre appelés « garages ». Si les propriétaires de taxi-brousse étaient nombreux à offrir leurs services, ils ne partaient qu'après avoir fait le plein de passagers, ce qui ne manquait pas d'exaspérer Derek. Plus le temps passait, plus ses chances de retrouver Mamadou vivant, et par le fait même son médaillon, s'amenuisaient.

Chapitre 28
Devant un verre de dolo

Iwol, le pays des Bediks, Sénégal

Derek n'avait qu'une seule préoccupation en tête: se rendre au Mali.

Deux trains par semaine faisaient le trajet Dakar-Bamako, un parcours de plus de 1000 km dans la brousse et une des régions les plus chaudes de la planète. Le trajet devait durer une trentaine d'heures si tout se passait bien. Mais c'était l'Afrique.

Si l'heure du départ était connue, cela n'engageait personne et le train pouvait, avant même de quitter la gare, accuser plusieurs heures de retard. Personne n'aurait voulu miser ne serait-ce que quelques francs CFA sur une heure précise d'arrivée à destination. On allait y arriver. Mais quand?

Ayant quelques jours devant lui, Derek partit à la découverte de la grande métropole africaine. Dakar, une des plus importantes villes d'Afrique, n'était pas différente des autres grandes villes du monde. Certains quartiers n'étaient pas très recommandables et Derek allait l'apprendre à ses dépens.

Après avoir engouffré rapidement, aux abords du marché Kermel, un *thiéboudienne,* le plat traditionnel sénégalais composé de riz et de poisson, Derek eut soudain l'impression d'être suivi. Ses craintes allaient rapidement se confirmer quand il vit derrière lui, dans une ruelle mal éclairée, quatre individus qui hâtaient le pas dans sa direction et ne laissaient aucun doute sur leurs intentions. Rapides comme des fauves, ils eurent tôt fait de rattraper le jeune routard même s'il avait pris ses jambes à son cou pour tenter d'éviter le pire. Sans l'intervention d'un grand costaud qui bricolait alors dans le coin, la tête enfouie sous le capot de sa voiture, Derek y aurait sûrement laissé sa peau.

Dakar était une ville dure où régnait la misère et où tout devenait une question de survie. Les gens n'avaient rien à perdre. Malaw, imposant par sa taille, allait facilement commander le respect et mettre les agresseurs de Derek en déroute. De la tribu des Wolofs, il était lutteur, un métier fort apprécié en Afrique de l'Ouest, et il allait, au cours des jours suivants, faire découvrir à Derek le milieu des arènes, un monde autour duquel gravitaient les plus grands noms du Sénégal et des ados en mal de sensations fortes.

En compagnie de Malaw, Derek fit la connaissance de Léopold, un jeune désœuvré, qui avait décidé, comme beaucoup d'autres avant lui, de s'imposer comme guide.

Le jeune Sénégalais, sans vraiment être arrivé à ses fins – peut-être avait-il compris que Malaw prenait beaucoup de place et en imposait –, mit tout de même Derek en confiance. Il prenait, lui aussi, le train qui quittait Dakar le dimanche matin pour se rendre chez les siens, au pays des Bediks.

Le jour du départ, Derek et Léopold réussirent, en arrivant très tôt à la gare, à dénicher une place assise en deuxième classe. C'était un luxe compte tenu du nombre de passagers qui devaient se contenter de s'asseoir sur le plancher et de supporter le va-et-vient incessant des voyageurs qui montaient et descendaient à chaque arrêt de jour comme de nuit.

Le train, comme on pouvait s'y attendre, quitta la gare de Dakar en retard. Les passagers, malgré la chaleur accablante, durent prendre leur mal en patience. Le trajet s'annonçait long et pénible.

Lorsque le train se mit finalement en branle pour se diriger vers l'intérieur des terres dans la brousse africaine, c'était déjà la tombée du jour. Un vent de fraîcheur donna un peu de répit.

Certains sommeillaient déjà, recroquevillés sur eux-mêmes, la tête appuyée sur le baluchon qui contenait tous leurs effets personnels. Derek essayait de dormir tout en gardant un œil sur son sac à dos, qu'il avait pris soin de ficeler solidement au porte-bagages au-dessus de sa tête pour décourager les plus téméraires.

Le train arriva à Tambacounda, dernière étape importante avant de se diriger vers Kayes, au Mali, au petit matin.

Le grincement des roues sur les rails sortit Derek de sa torpeur.

C'était là que Léopold devait le quitter pour prendre un taxi-brousse et se rendre au pays des Bediks. Mais il avait beau le chercher du regard, celui-ci semblait avoir bel et bien quitté le train sans lui dire au revoir. Impossible de le retrouver dans la cohue avec tous les passagers qui prenaient d'assaut le train et ces vendeurs ambulants qui s'agglutinaient pour vendre leurs fruits et quelques poignées d'arachides. Distrait par la scène et la confusion qui accompagnait chaque arrêt, Derek ne s'était pas rendu compte que son sac à dos avait disparu. Il remarqua, par hasard, en voulant aider quelqu'un à ranger ses effets personnels, que les cordes qui retenaient son sac au porte-bagages avaient été coupées.

— Merde ! grommela-t-il.

Il jeta un coup d'œil furtif autour de lui et vit que personne ne semblait porter une attention particulière à la scène. Il en conclut que c'était Léopold qui avait fait le coup.

Derek se fraya un chemin jusqu'à la sortie. Le voyage, à moins de trouver rapidement son sac à dos, s'arrêtait là. Son sac à dos était plus important que le prix du billet de train jusqu'à Bamako.

Si Léopold avait l'intention de se rendre au pays des Bediks, il devait nécessairement, pensa Derek, se rendre au « garage », situé aux abords du grand marché, pour prendre un taxi-brousse jusqu'à Kédougou.

Arrivé là, il vit Léopold venir vers lui avec son sac. Derek s'était-il trompé ?

— Que fais-tu avec mon sac ? demanda Derek, intrigué. Il se sentait coupable d'avoir tiré des conclusions peut-être trop rapidement.

— Lorsque j'ai constaté que ton sac manquait à l'appel à l'arrivée en gare, je n'ai fait ni une ni deux, rétorqua Léopold. Je savais qu'il n'y avait pas une minute à perdre et que je pouvais m'y retrouver plus facilement que toi. Le voleur s'en est tiré et a réussi à se perdre dans la foule qui gravite autour du marché, mais il a vite compris qu'il était facilement repérable avec ton sac et qu'il devait lâcher prise.

Mal à l'aise devant ses conclusions hâtives, Derek préféra changer de sujet.

— J'ai bien peur qu'il soit trop tard pour remonter dans le train qui mène à Bamako, se contenta-t-il de répondre en consultant sa montre.

— Si tu as un peu de temps devant toi, enchaîna Léopold, tu pourrais venir passer quelques jours dans mon village. C'est à quelques heures d'ici en taxi-brousse.

Derek, qui avait quelques jours devant lui avant le départ du prochain train pour Bamako, accepta l'invitation.

Installés à flanc de montagne, traditionnellement pour se protéger des envahisseurs et ainsi mieux sauvegarder leur mode de vie et leurs traditions, les Bediks vivent dans la région de Kédougou, aux confins du Sénégal, près de la frontière de la Guinée.

À la suggestion de Léopold, Derek accepta, avant de se rendre au village d'Iwol, de passer au marché local d'Ibel pour y acheter des noix de kola, un fruit amer que les personnes âgées apprécient tout particulièrement, qui est une source étonnante d'énergie et agit comme une drogue pour ceux qui le consomment. La noix de kola, sorte de monnaie d'échange, permet d'ouvrir bien des portes dans ces régions reculées.

Situé à une heure de marche en montagne d'Ibel, le village d'Iwol, après bien des efforts, apparut comme dans un rêve. Il respirait le calme et la sérénité d'un monde qui ne s'était pas encore laissé emporter par la frénésie de la vie moderne.

À Iwol, Derek eut l'impression de remonter le temps et de se retrouver quelque 2000 ans auparavant. Cases de terre crue et de paille qui s'accrochaient à la montagne, marmites qui mijotaient sur le feu, derniers-nés qui s'agrippaient au sein de leur mère, vieilles femmes aux seins nus ornées de bijoux et portant une épine de porc-épic dans la cloison nasale, hommes qui revenaient des travaux des champs, enfants qui, malgré leur jeune âge, mettaient la main à la pâte et pilaient le mil, cochons, chèvres et poulets qui couraient dans toutes les directions... Il semblait ne manquer que les menhirs et la potion magique pour retrouver l'ambiance décrite par Goscinny et Uderzo dans le village d'Astérix.

Dans ce village de bandes dessinées, la vie prenait un autre sens.

La venue de Derek et sa rencontre avec le chef du village, qui semblait fort apprécier les noix de kola, servit de prétexte pour faire la fête.

Au pays des Bediks, s'enivrer au *dolo*, la bière de mil, est bien vu puisque cela permet aux esprits qui veillent sur le village de prendre possession de ses sens.

Chapitre 29
En descendant le fleuve Niger

Tombouctou, Mali

Derek approchait du but.

L'arrivée du train à la gare de Bamako, la capitale du Mali, se fit, comme il fallait s'y attendre, dans la cohue générale.

C'était la fin de la saison sèche et le début de la saison des pluies, dite d'hivernage.

Les Africains voyagent moins pendant la saison des pluies, non seulement parce que les routes de terre battue deviennent souvent impraticables, mais parce qu'ils sont trop occupés à profiter au maximum de cette période de l'année pour cultiver la terre.

Ils sont animistes dans l'âme, malgré l'influence de l'islam et du christianisme, et on trouve sur les marchés de Bamako des têtes de crocodile, des queues de rat, des dents de poisson, des crânes de singe et d'autres produits miracles à base d'urine ou de graisse d'animaux. Les Maliens n'ont pas oublié leurs racines et leurs croyances ancestrales. À Bamako, on n'a pas d'assurance-vie, mais les féticheurs et marchands de gris-gris, ces porte-bonheur qui protègent de tout, ont la cote.

Derek pouvait mieux comprendre, à la vue de cet étalage de produits pour le moins inusités, ce qui avait pu pousser Mamadou à s'intéresser à son médaillon.

Une dizaine de jours, c'était à peu près le temps qu'il avait devant lui avant l'arrivée de Mamadou à Tombouctou.

Koulikoro, petit port fluvial à 60 km de Bamako, est le point de départ de la descente du fleuve Niger vers Tombouctou. À Koulikoro, les sacs de riz, les légumes, les boissons, les bagages, les chèvres, les bicyclettes, sans oublier les passagers représentant tous les groupes ethniques, cohabitent et s'entassent tant bien que mal pour ce long voyage sur le fleuve Niger. Si, sur les ferry-boats, qui rappellent les bateaux à aubes du Mississippi, la traversée semble bien organisée, sur certains bacs c'est l'anarchie la plus totale.

Derek, un peu pressé par le temps et faisant fi de son confort, monta à bord de la première pinasse à destination de Ségou et de Mopti, la dernière grande étape avant Tombouctou. Mais il fallait faire vite. La saison des pluies semblait vouloir faire son nid, les routes du Sahel devenaient de plus en plus difficiles et, par conséquent, les chances de trouver un moyen de transport vers Tombouctou de plus en plus minces. Ce n'est qu'après des heures d'attente que Derek put reprendre la route en compagnie de quelques coopérants français qui passaient par là.

À une certaine époque, on décrivait cette région comme immensément riche. On parlait de la splendeur de la cour du roi, de ses mosquées, de son université, de ses bibliothèques et de ses marchés. Un mythe s'est forgé avec le temps, faisant de Tombouctou une ville fabuleuse. Encore aujourd'hui, on semble vouloir s'accrocher à ce mythe d'une cité hors du temps, même si Tombouctou n'offre plus rien de mystérieux.

Tombouctou demeurait toutefois pour Derek un arrêt incontournable parce que c'était, du moins l'espérait-il, la fin d'une course effrénée contre la montre qui durait depuis des semaines.

Dans cette ville-labyrinthe formée de ruelles de sable, de terre battue et de bâtisses en terre crue qui se ressemblaient toutes, il était difficile d'établir des points de repère et de se retrouver facilement. Cité du bout du monde, c'était avant tout un lieu de convergence et de rendez-vous au cœur du désert. À défaut de centre-ville clairement défini, la place du marché était le lieu tout indiqué pour obtenir de l'information sur le va-et-vient des caravanes.

Rien n'indiquait toutefois que Mamadou était arrivé à destination. Derek n'avait donc d'autre choix que de traîner autour des principales mosquées de la ville et du grand marché en espérant que les nouvelles ou les rumeurs de l'arrivée de caravanes en provenance de Mauritanie parviennent à ses oreilles.

Chapitre 30
Un thé au Sahara

Au pays des Touaregs, Mali

Le temps est une notion bien abstraite au cœur du Sahara.

Après quelques jours à tourner en rond et n'en pouvant plus, Derek décida, à la suggestion de Targui, un Touareg qui avait établi son camp de base à Tombouctou, de tenter le tout pour le tout et de partir à la rencontre de Mamadou. Si le projet avait peu de chance de réussir aux yeux de Derek, qui avait du mal à s'imaginer que les caravaniers puissent s'y retrouver dans le désert, Targui était, de son côté, sûr d'y arriver.

Bon nombre de Touaregs se retrouvent commerçants à Tombouctou, où ils vendent des poignards ou des objets de cuir, symboles de leur culture en sursis, mais ils parlent toujours, lorsqu'on les croise dans les ruelles de terre battue de la ville, de leurs grands espaces avec une fierté et une certaine nostalgie. Leur lutte pour la survie fait souvent en sorte qu'ils abordent des sujets plus terre-à-terre, comme une méharée de quelques jours dans le désert conçue pour les touristes ou une poignée de bijoux à vendre qu'ils sortent de leur poche en désespoir de cause.

Si les sécheresses répétées des dernières décennies ont porté un dur coup au mode de vie des nomades, les traditions du désert n'étaient pas encore chose du passé. Le temps pour Targui de rassembler les quelques dromadaires qui feraient partie de l'expédition et pour Derek d'acheter l'eau et les provisions nécessaires, et c'était parti !

Déjà, aux portes de Tombouctou, les dunes de sable prenaient toute la place. Il n'y avait plus de référence terrestre, comme si le désert était quelque part ailleurs. Lorsqu'ils faisaient une halte dans une oasis, afin de partager le thé avec quelques Touaregs, c'était comme vivre un morceau d'éternité et d'absolu, un moment hors du temps et de l'espace.

Les Touaregs, à force de privations, sont devenus un des peuples les mieux adaptés à la vie du désert, se déplaçant constamment à la recherche de points d'eau et de pâturages pour les bêtes. Ce pays de roche et de sable est leur empire, un royaume où on doit tout faire avec presque rien. Lorsque les réserves s'épuisent, ils plient bagage pour aller plus loin. Les points d'eau déterminent la route à suivre et sont au centre de leur univers. Quelques dattes séchées, le lait et la viande de leurs troupeaux pour se nourrir et une eau aussi rare que précieuse définissent leur quotidien.

— Pour un vrai Touareg, la maison est le tombeau des vivants, dit Ibrahim, leur hôte pour la nuit, en s'adressant à Derek qui goûtait pleinement cette nuit sous la tente de peaux et de nattes tressées. La vraie vie des Touaregs, ce sont les grands espaces et les nuits à la belle étoile ou sous la tente.

Les Touaregs passent souvent les heures les plus chaudes sous la tente. Les femmes échangent des confidences et se coiffent mutuellement pendant que les hommes bavardent entre eux. Le soir venu, c'est à la belle étoile qu'on égrène les dernières heures de la journée en sirotant un thé.

L'heure du thé, autour du feu, est un véritable rituel. Lorsqu'on pense avoir obtenu le goût et la couleur désirés, on sert le thé dans de petits verres en versant de très haut pour qu'il mousse abondamment et développe tout son arôme. On boit trois verres. Le premier amer comme la vie, le deuxième fort comme l'amour et le troisième suave comme la mort, selon un dicton saharien. Le premier est pour les hommes, le deuxième pour les femmes et le dernier pour les enfants. Symbole d'hospitalité, le thé résume tout le quotidien du désert.

Parce qu'ils ont toujours vécu dans un monde où la productivité et la performance n'ont aucun sens, les Touaregs se contentent d'objets et de solutions simples, éprouvés et parfaitement adaptés à leurs besoins.

Derek profitait donc, un verre de thé à la main, de l'hospitalité traditionnelle des nomades, moment qu'il savourait d'autant plus qu'il avait l'impression qu'il avait devant lui les derniers hommes libres du Sahara. La liberté a un sens particulier pour les gens du désert. Se sédentariser, c'est perdre l'horizon, dit-on dans le Sahara, un message qui collait à merveille à la réalité du jeune routard.

L'heure du thé était le moment qu'avait choisi Targui pour aborder avec Ibrahim la question qui brûlait Derek.

— Avez-vous entendu parler d'un certain Mamadou ?

Ibrahim hésita un moment.

— Des caravaniers ont fait un arrêt au campement la semaine dernière et certains d'entre eux ont effectivement dit qu'ils avaient dû laisser un des leurs derrière eux. Je crois, en effet, qu'on a mentionné le nom de Mamadou.

Ibrahim venait de confirmer les pires craintes de Derek.

— Il serait mort d'une maladie étrange. Ses compagnons l'auraient vu dépérir à vue d'œil, précisa-t-il.

Pour Derek, l'histoire se répétait. Comment aurait-il pu oublier les funérailles tibétaines ?

— Ils auraient enterré sa dépouille, poursuivit Ibrahim, sous un amas de pierres près de l'oasis d'Araouane avant de reprendre la route.

— N'ont-ils pas récupéré ses effets personnels ? demanda Derek, qui avait peur de voir le médaillon, comme le sable du désert, lui filer entre les doigts.

— J'ai cru comprendre qu'un des caravaniers, qui poursuivait sa route jusqu'à Mopti, avait l'intention de se rendre au pays dogon et de remettre le tout à la famille.

— N'a-t-on rien dit sur ce mal étrange dont vous parliez plus tôt ? Vous rappelez-vous le nom de ce caravanier ? demanda Derek.

— Je crois me rappeler qu'il s'agissait d'un certain Kheddou, répondit Ibrahim, un pasteur peul de la région de Mopti. Pour ce qui est du mystère entourant le décès de Mamadou, personne n'a de réponse ou n'a voulu donner de détails.

Même Ibrahim semblait mal à l'aise d'aborder le sujet. En Afrique noire, le surnaturel prend beaucoup de place dans le quotidien des gens, et le cas de Mamadou semblait déjà être entré dans la légende.

De toute évidence, Derek ne tirerait rien de plus d'Ibrahim. Il allait, encore une fois, devoir foncer tête baissée et se rendre au pays dogon.

Chapitre 31
Des noix de kola pour le *hogon*

Falaise de Bandiagara, pays des Dogons, Mali

S'il avait été relativement facile de faire la route de Mopti à Tombouctou, reprendre cette route en sens inverse relevait du défi. La saison des pluies la rendait de plus en plus difficile et les moyens de transport étaient rares. Même le bac qui permettait de traverser le fleuve Niger à la hauteur de Korioumé se faisait attendre.

Après maintes tractations, Derek trouva une place à bord d'un camion pour se rendre à Mopti, puis à Bandiagara, aux portes du pays dogon.

Installés cinq siècles auparavant au pied des falaises de Bandiagara qui s'étirent sur quelque 200 kilomètres au sud du Mali, les Dogons sont sans contredit un des peuples les plus énigmatiques de la planète. En dépit d'un environnement inhospitalier, ils ont réussi, par un travail acharné, à cultiver la terre et à faire fleurir le désert.

Les maisons de terre battue dont le toit forme une terrasse, où on passe souvent la nuit pendant la saison chaude, et les tours carrées de terre et de paille sur pilotis qui leur servent de greniers sont caractéristiques du pays dogon. Au centre du village, le *toguna*, la maison des palabres, couverte d'un toit de paille et soutenue par des piliers dont les sculptures honorent la fécondité, est le lieu de rencontre des anciens. La *guina*, la maison du chef, est le principal bâtiment du village. C'est le lieu de rassemblement lors des fêtes, et c'est là qu'on trouve les fétiches protecteurs et les poteries funéraires qui reçoivent les offrandes faites à la mémoire des défunts. La maison du *hogon*, le chef religieux, est reconnaissable aux peintures qui ornent sa façade.

Les villages dogons se succèdent le long des falaises abruptes de Bandiagara qui abritent leurs morts. Tireli, Amani, Ireli, Banani, Touganah, Yougo Dogorou et Yougopiri : Derek n'avait que l'embarras du choix.

Faute d'indication précise sur le village de Mamadou et sur le passage de Kheddou, Derek se rendit à Sanga, par Bandiagara et, de là, à pied pour découvrir les nombreux villages qui se blottissent en haut ou au pied des falaises ou carrément accrochés entre ciel et terre.

À Sanga, le jour du marché a lieu une fois par semaine, tous les cinq jours dans le calendrier dogon. Fruits et légumes, poisson séché, plats cuisinés, tissus et *dolo* (bière de mil) conservée dans des jarres de terre résument l'économie de survie de ce peuple, sans oublier, bien sûr, les noix de kola qui servent de billet d'entrée au pays dogon comme ailleurs en Afrique noire. Derek devait donc en faire une bonne provision s'il voulait circuler librement dans les différents villages et obtenir l'information dont il avait besoin pour retrouver son médaillon, et ce, même s'il était conscient que ses chances étaient plutôt minces.

Les croyances des Dogons en font un peuple entouré de mystère et il est difficile pour un non-initié d'y circuler sans guide. Il ne faudrait pas commettre d'impair ou profaner un lieu, une porte ou un objet ayant une valeur symbolique et considéré comme sacré.

Les Dogons puisent leur force vitale dans la terre qui les porte, les nourrit et les reçoit après leur mort, dans l'eau qui rend la terre féconde et dans le feu du soleil qui fait mûrir les moissons.

Le monde des Dogons tourne autour du dieu Amma, qui créa la Terre et dont il fit son épouse. Celle-ci donna naissance à Yurugu, un renard mâle imparfait, puis à Nommo, un être à la fois mâle et femelle. Nommo, dans la mythologie dogon, est le maître de la vie, de la pluie et de l'ordre. Le renard Yurugu représente par opposition la nuit, la sécheresse et le désordre. Tous les rites et les coutumes dogons sont basés sur cette mythologie.

Le *hogon* est la personne la plus importante. C'est le chef religieux qui assure l'unité du village et les liens avec les ancêtres. Chez les Dogons, le *hogon,* en raison de son rôle, est considéré comme un être à part qui ne doit pas être contaminé par les autres êtres humains. Le *hogon* est en quelque sorte celui qui incarne les forces vitales représentées par un serpent, forces qu'on célèbre tous les 60 ans lors de la fête du Sigui.

Le *hogon,* pensa Derek, était la personne à rencontrer. Mais ne rencontre pas le *hogon* qui veut. La présence d'un guide, qui s'impose en pays dogon, n'allait pas nécessairement lui faciliter la tâche puisque le *hogon* est peu accessible et doit se tenir loin des hommes.

Derek avait tout de même réussi à en savoir un peu plus sur le va-et-vient d'un certain Kheddou qui était passé par là et son séjour prolongé dans le village de Yougo Dogorou.

Profitant de l'heure de la sieste pour faire faux bond à Moussa, son jeune guide, Derek décida de s'attaquer à la falaise et de rendre visite de son propre chef au *hogon* de ce village.

Yougo Dogorou est un endroit unique. Perché près du sommet de la falaise, le village semble imprenable. Son isolement a fait en sorte que la plupart de ses habitants se sont déplacés dans la plaine qui longe la falaise de Bandiagara, là où la vie est plus facile. Quelques familles et personnes âgées y vivent encore et assurent la garde des autels et des lieux réservés pour les rites et les danses funéraires. La paroi rocheuse est truffée de grottes ouvertes où les premiers habitants de la région ont jadis élu domicile, grottes qui servent aujourd'hui de caves funéraires.

Un vieil homme à l'allure frêle se tenait assis à l'ombre du plus gros arbre du village qui servait de lieu de rassemblement pour la fête du Sigui. Derek en conclut qu'il s'agissait du *hogon.* Profitant du fait que tous les gens en âge de travailler étaient aux champs en ce temps de l'année et que le village était pratiquement désert, le jeune routard s'approcha du *hogon* en lui tendant une poignée de noix de kola, mais en évitant de le toucher, un geste considéré comme inapproprié en pays dogon.

Le *hogon* acquiesça de la tête et accepta les noix de kola sans mot dire.

Le premier contact était établi, et cela, même si Derek avait passé outre la consigne voulant qu'on devait faire appel aux services du *kadana* (gardien du *hogon*) pour permettre une telle rencontre.

Après avoir jeté un œil furtif autour de lui pour s'assurer qu'il n'y avait pas de témoins gênants, Derek s'assit aux côtés du *hogon*. S'il voulait éviter de parler de religion et de croyances, un sujet que les Africains hésitaient souvent à aborder avec les étrangers, il devait savoir ce qu'il était advenu des effets personnels de Mamadou. Le *hogon* de Yougo Dogorou était sa dernière carte.

Mais comment aborder le sujet? Comment expliquer ses liens avec Mamadou sans soulever toute une série de questions dont les réponses pouvaient déclencher, dans un pays où les superstitions et les forces surnaturelles occupent le haut du pavé, toute une série de réactions à la chaîne et hors de contrôle, réduisant à néant ses chances de retrouver son médaillon?

S'il parlait ouvertement du médaillon et de ses pouvoirs, serait-il tenu pour responsable de la mort de Mamadou? Comment récupérer son médaillon sans susciter la convoitise des habitants du village? Autant de questions, autant de réponses appréhendées. Derek, sans comprendre tous les tenants et les aboutissants des croyances dogons, se sentait coincé entre Nommo et Yurugu, les dieux du bien et du mal.

Alors que le jeune routard rongeait son frein, le *hogon*, toujours impassible, ne semblait pas du genre à vouloir tenir une conversation. Peut-être fallait-il, conclut Derek, être le plus transparent possible.

— Est-ce que le nom de Mamadou vous dit quelque chose ?

— Mamadou est mort, répondit laconiquement le *hogon*. Il n'a même pas eu l'honneur d'être enterré dans les entrailles de la falaise avec ses ancêtres.

— Je l'ai appris, renchérit Derek. Je cherchais depuis des mois à le joindre quand j'ai su qu'il était mort d'un mal mystérieux. J'aurais peut-être pu le sauver.

— Comment ça, le sauver ? rétorqua le vieil homme.

— Mamadou, alors qu'il vivait à Amsterdam, bien loin de son Afrique natale, avait mis la main sur un médaillon qu'on m'avait confié et qui semble avoir un pouvoir maléfique sur ceux qui s'en emparent. Avez-vous vu ce médaillon ?

— Tu veux dire que Mamadou t'aurait volé un médaillon et que cela aurait entraîné sa perte ? reprit dans ses mots le *hogon*.

— J'ai bien peur que oui, répondit Derek.

— Tu portes de graves accusations, reprit le *hogon* en pesant ses mots, mais nous serons vite fixés, ajouta-t-il après un moment de réflexion. Ses effets personnels ont été déposés dans une des grottes de la falaise. Nous pratiquerons le *dama* au cours des prochains jours. Le *dama* marque la fin du deuil et le passage de l'âme du défunt au pays des ancêtres. Je demanderai au chef des masques de récupérer ses effets personnels pour les funérailles.

Derek, peut-être si près du but, allait donc devoir se plier à ces coutumes et attendre la suite des événements. Quelques jours de plus ou de moins n'y changeraient pas grand-chose, même si cette attente devenait intenable.

Danses et combats fictifs autour du feu allaient ponctuer, quelques jours plus tard, ces funérailles dans un bruit assourdissant et un nuage de fumée provoqués par les tirs de fusil à blanc. L'ambiance était à la fête.

Quelques dignitaires et proches parents montèrent sur le toit de la maison du défunt pour y déposer ses effets personnels et faire le sacrifice d'un bouc avant de céder le pas à la danse des masques, dans le but d'attirer l'âme du défunt et de préparer son départ pour l'au-delà.

Puis, moment fort de la cérémonie, un des danseurs, un proche du disparu, devait gratter le sol de ses mains et lancer un peu de poussière au-dessus de sa tête afin d'acquérir une partie de l'âme du défunt.

C'est le moment que choisit le *hogon* pour intervenir et, dans un geste inhabituel, passer outre les coutumes établies. Il demanda à Derek de monter sur le toit de la maison du défunt pour vérifier si son médaillon faisait bien partie des effets ayant appartenu à Mamadou.

Une couverture, des calebasses et quelques fétiches constituaient les biens de Mamadou. Parmi ces objets hétéroclites, le médaillon, un peu égratigné certes, mais toujours reconnaissable. Derek le saisit entre ses doigts avec une émotion à peine dissimulée et le montra au *hogon* qui se tenait à distance.

La cérémonie venait de prendre une tournure inattendue. Le chef des masques fit taire les tam-tams. Si Derek avait dit vrai, le crime de Mamadou exigeait réparation. Il y allait de l'honneur des Dogons.

— Mais comment puis-je être certain que tu dis vrai et que le médaillon t'appartient vraiment? lança en présence de tous le chef des masques en s'adressant au jeune routard.

— Comment pouvons-nous être certains que tu dis vrai et que le médaillon a de véritables pouvoirs? renchérit le maître de cérémonie qui ne semblait pas apprécier le changement au rituel.

Derek ne savait que dire.

Les Dogons croient aux forces surnaturelles et ne demandaient, de toute évidence, en le mettant au défi qu'à croire la version de Derek.

Un silence écrasant avait envahi la place.

Derek aurait voulu prendre ses jambes à son cou. Sa vie n'était peut-être pas en danger, mais il devait réagir. S'il avait jusqu'à ce jour toujours fait preuve d'un certain scepticisme concernant son médaillon, il devait surmonter son incrédulité et entériner en quelque sorte ses pouvoirs. C'était le moment ou jamais.

Après avoir balayé du regard les témoins de la scène, afin de repousser le plus possible le moment fatidique et comme pour accorder de l'importance à son geste, il exposa à bout de bras le médaillon à la vue de tous.

Le ciel, comme par hasard, plutôt gris en cette période de l'année, s'éclaircit tout à coup pour laisser filtrer les rayons du soleil et faire briller le médaillon comme jamais auparavant.

Il n'en fallait pas plus.

C'est à Derek qu'allait revenir l'honneur de gratter le sol, de lancer un peu de poussière au-dessus de sa tête et d'acquérir une partie de l'âme du défunt, faisant de lui un Dogon dans l'âme. Le *hogon* avait parlé.

Le soleil tombait rapidement derrière la falaise de Bandiagara. Le *hogon,* au vu et au su de tous, invita Derek à le rencontrer dans la maison à palabres où les hommes se retrouvent traditionnellement pour discuter et décider des affaires du village. Le temps était venu d'initier Derek à l'univers des Dogons.

Comme on le faisait chaque soir, on dessina sur le sable à l'entrée du village, à l'intention de Derek cette fois, un tracé de cailloux et de morceaux de bois, le tout agrémenté de quelques cacahuètes afin d'attirer le renard pendant la nuit.

Le lendemain matin, on examina les traces laissées par le renard et on interpréta les petits cailloux et morceaux de bois qu'il avait déplacés pendant la nuit : une façon pour Yurugu de prédire l'avenir.

Que réservait l'avenir à Derek ? Encore beaucoup de péripéties, selon l'interprétation que fit le *hogon* des traces laissées par Yurugu et qui semblaient, aux yeux d'un profane, aller dans toutes les directions. Pour le *hogon*, une chose était certaine : l'Afrique lui réservait encore bien des surprises.

— Un conseil avant de partir, conclut le *hogon*. Si tu poursuis ta route pour t'enfoncer encore davantage dans la brousse, fais confiance aux gens que tu croiseras sur ton chemin. Ils connaissent bien ces régions arides et sauront te guider. « Si tu veux aller vite, fais le chemin seul ; si tu veux aller loin, fais le chemin avec un ami », dit un proverbe africain.

Si Derek semblait porter peu d'attention aux dernières paroles du *hogon*, le destin allait se charger de lui rafraîchir la mémoire. En Afrique, on devait pouvoir compter les uns sur les autres pour survivre.

Chapitre 32
À la cour du roi des Gourounsis

Tiébélé, Burkina Faso

Découvrir l'Afrique pose de nombreux défis. Au climat souvent intenable s'ajoutent les conditions de voyage qui mettent à l'épreuve le plus aguerri des routards. Les camions constituent souvent les seuls moyens de transport à des milliers de kilomètres à la ronde. Franchir une centaine de kilomètres par jour relève parfois de l'exploit. Crevaisons, bris mécaniques, palabres interminables, marchandage autour du prix d'un régime de bananes, d'une carcasse de singe ou d'un poulet, toutes les raisons sont bonnes pour ne jamais arriver à destination. L'Afrique impose son rythme. Mais une fois qu'on a appris à composer avec la réalité africaine et à se laisser porter au gré de ses rencontres, le voyage prend un autre sens.

Le passage de Derek à Tiébélé, au pays des Gourounsis, se voulait une simple halte, mais il allait s'inscrire dans un réseau de contacts fort utiles en Afrique.

Les maisons des Gourounsis comptent parmi les plus originales d'Afrique noire. Les murs sont couverts de fresques aux tons chauds et aux motifs géométriques et de bas-reliefs qui leur donnent des allures de décor de théâtre. Construites en terre de banco et sans ouverture apparente, les *soukalas* ressemblent à de petites forteresses imprenables. Il s'agit d'une architecture datant d'une époque où il fallait se méfier des peuples voisins.

Cases et greniers, cours intérieures, escaliers menant à des terrasses crénelées, murets comme autant de remparts, entrer dans les *soukalas* des Gourounsis, c'est basculer dans un autre monde.

Le *soukala* du roi est hors du commun. Régnant sur un territoire qui chevauche les frontières du Ghana, le roi des Gourounsis a toujours un pouvoir moral dans la région. Les décisions qu'il prend, en collaboration avec les anciens des villages, ont force de loi. Le pouvoir qu'il détient, en fonction des fétiches qu'il possède, est souvent associé à la magie. On entre dans le *soukala* du roi par la porte principale qui donne sur une grande place où se trouve le lieu de rencontre des anciens, la pierre à sacrifice où on immole des animaux et l'arbre sacré, un baobab plus que centenaire.

Certains *soukalas* de Tiébélé sont couverts de motifs aux couleurs plutôt défraîchies, mais celui du roi fait l'objet de soins particuliers, car on assure son entretien sur une base régulière. Si les hommes ont la tâche de colmater les brèches des murs en banco après la saison des pluies, il revient aux femmes, selon la tradition, de dessiner les motifs qui ornent les murs de ce palais du bout du monde. On est loin de Versailles, mais on est près de la nature et des divinités de la brousse qui ont un impact sur le quotidien des gens, la saison des pluies et les récoltes.

Derek ne s'attendait pas à rencontrer dans une des cours intérieures du *soukala* royal, qui résume tout l'univers de ce peuple de la brousse, le roi des Gourounsis en chair et en os.

Assis par terre sur une natte de paille tressée, le roi aurait pu passer incognito pour un non-initié. Son boubou blanc, une longue tunique ample ornée de broderie, était peut-être le seul signe extérieur qui trahissait son rang.

Si cette rencontre impromptue ou arrangée par le jeune guide qui se disait prince et qui accompagnait Derek dans sa visite était un prétexte pour lui soutirer quelques milliers de francs CFA – il y avait un prix à payer pour être reçu en audience auprès du roi –, elle allait être beaucoup plus qu'une simple formalité.

Même si au cœur de la brousse on est porté à croire que tout est simple et que les besoins de base dictent les activités, les Africains ont créé des sociétés fort complexes, où chaque geste ou objet revêt une signification particulière.

Si les formalités entourant cette rencontre pouvaient sembler dépassées aux yeux de Derek, ce face-à-face exigeait, malgré le dénuement et la simplicité des lieux, un certain décorum dans le contexte africain. Les rois, quelle que soit l'étendue de leur royaume, partagent un titre qui trouve sa légitimité dans des traditions et un contexte bien précis.

De toute évidence, Derek n'était pas préparé à cette rencontre, mais il allait devoir jouer le jeu. Il se trouvait en présence d'un roi et il avait compris qu'il revenait à ce dernier d'engager la conversation.

Le roi des Gourounsis porta un regard hautain et courtois à la fois sur son invité avant de lui offrir, sans mot dire, un verre de *dolo*, une bière de mil bien chambrée.

Derek accepta. S'il pouvait apprécier le goût de cette boisson locale, il n'en redoutait pas moins les effets néfastes sur son système digestif. Mais politesse oblige.

Les premiers échanges devaient, comme le voulait la coutume, porter sur la famille, une formalité à laquelle on tenait en Afrique. Après qu'on s'était informé mutuellement de l'état de santé de tout le monde, la discussion pouvait s'engager.

Étrangement, le roi des Gourounsis avait une bonne idée du projet de vie de Derek. Il connaissait déjà sa feuille de route, preuve que les nouvelles vont vite en Afrique.

— Tu n'es sûrement pas au bout de tes peines, dit le roi, mais tu n'es pas seul. « Pour qu'un enfant grandisse, il faut tout un village », dit un proverbe africain. Tu pourras compter sur les autres pour mener à bien ton projet.

En lui remettant une rose des sables, le roi poursuivit :

— Ce souvenir te sera fort utile en temps opportun. À toi de l'utiliser à bon escient.

Le roi, qui pouvait lire dans les yeux de son interlocuteur, avait compris que Derek ne voyait pas de prime abord la valeur d'un tel présent. Il allait toutefois lui rappeler, à son grand étonnement, les mots du vieil hindou de Bénarès.

— La rose fait partie de ton destin, si je ne m'abuse, dit le roi en jetant un regard interrogateur à Derek.

Les yeux de Derek s'illuminèrent tout à coup, comme s'il remontait le temps et que cette rencontre survenue il y a quelques années déjà en Inde prenait un sens inattendu. C'était comme si l'homme de Bénarès, qui avait fait référence à une rose, avait prévu cette rencontre et que les forces qu'il avait libérées faisaient toujours partie du destin du jeune routard.

— Qu'attends-tu pour utiliser pleinement les pouvoirs de ton médaillon ? ajouta le roi qui, comme tous les autres intervenants sur sa route, faisait partie de son projet de vie.

— Peut-être avez-vous raison, dit Derek, qui admettait, sans accorder la place que les Africains donnaient aux forces occultes, que son médaillon était pour quelque chose dans sa quête, mais je pense que je dois d'abord compter sur moi-même.

— Prends ton temps. Je sais que tu veux encore faire des milliers de kilomètres. Si tu vas au Niger, n'oublie pas d'aller saluer Moctar. Il a une dette envers moi et il pourra t'apporter une aide précieuse.

— Où vit ce Moctar ? interrogea Derek.

— Il vit à Niamey, sur les rives du grand fleuve Niger. C'est un griot. Tout le monde le connaît.

Chapitre 33

Parole de griot

Niamey, Niger

Pour Derek, Moctar n'était qu'une référence de plus sur sa route, mais c'était mal connaître l'Afrique que d'ignorer l'importance de ce réseau de contacts que tous les Africains utilisent abondamment au gré de leurs déplacements. Si voyager en Afrique ressemblait davantage pour le jeune routard à une expérience de survie, se déplacer, pour les Africains, c'est d'abord faire sa route en fonction d'un réseau de relations et de rencontres. On connaît toujours quelqu'un chez qui on peut passer la nuit.

Si on accepte de voyager à l'africaine et avec les Africains dans cette perspective de rencontre, on peut s'accommoder beaucoup plus facilement des retards, des crevaisons et des pannes qui viennent irrémédiablement ponctuer des trajets toujours plus longs que prévu. Compte tenu de l'état des routes et des véhicules qui semblent avoir plusieurs vies, les retards sont fréquents et ne surprennent personne. C'est inclus dans le prix du billet.

Sans trop s'en rendre compte, Derek, en acceptant cette référence du roi des Gourounsis, venait d'entrer dans ce réseau de relations qui allait marquer sa route. Il pouvait dorénavant vraiment aller à la rencontre de l'Afrique noire.

Une quinzaine d'heures d'autocar amenèrent Derek de Ouagadougou, la capitale du Burkina Faso, à Niamey, sur les rives du fleuve Niger.

La capitale du Niger, comme la plupart des grandes villes africaines, offre un visage à la fois moderne et traditionnel. On y trouve des immeubles commerciaux et quelques grands hôtels, mais ses marchés lui donnent une touche tout africaine.

Pour l'ambiance, le grand marché est un incontournable et donne le ton. On y vend de tout, notamment des médicaments traditionnels composés essentiellement de plantes et pouvant guérir tous les maux, des problèmes de prostate à la diarrhée en passant par l'éjaculation précoce et l'impuissance.

Le marché aux bestiaux, situé dans le quartier Lazaret, résume le quotidien de beaucoup de Nigériens. Bovins, moutons, chèvres, ânes et dromadaires y trouvent preneur. C'est dans ce marché du bout du monde, situé aux portes du désert, que Derek pensait pouvoir rencontrer Moctar, selon les renseignements qu'il avait obtenus. Or, c'est à un certain Amadou, qui travaillait comme tanneur aux abords du fleuve Niger, qu'on le référa d'abord.

Il se faisait tard et, en attendant de pouvoir rencontrer Amadou, Derek entra dans un maquis, un de ces petits restaurants aux murs de planches et au toit de tôle plus ou moins clandestins qui avaient pignon sur rue aux abords du marché, avant de se retrouver à l'hôtel Moustache où on pouvait passer la nuit pour quelques dollars.

Une clientèle locale fréquentait cet hôtel miteux et, compte tenu du va-et-vient incessant dans les cages d'escalier et les couloirs aux murs noircis par le temps, Derek en conclut qu'on devait y louer les chambres à la demi-heure.

Derek quitta l'hôtel Moustache sans se faire prier tôt le lendemain matin et se dirigea sur les rives du fleuve Niger, là où des centaines de lavandières, comme tous les matins, se donnaient rendez-vous. Les garde-fous du pont Kennedy devenaient, à cette heure du jour, une corde à linge sans fin. Non loin de là, toujours sur les rives du fleuve, des tanneurs s'affairaient dans des conditions misérables, au milieu des odeurs pestilentielles du guano qui servait d'ammoniac naturel et sous une chaleur écrasante, à traiter des peaux de chèvres qui allaient devenir des objets d'artisanat.

La hutte où vivait Amadou et sa famille n'avait rien d'un palais. Un lit de planches, quelques nattes de paille, une calebasse. Un vieux chaudron noirci par le temps et comme oublié sur le feu complétait le décor.

— Comment puis-je t'aider? dit Amadou à Derek, en l'accueillant d'un geste généreux dans sa case de banco et de paille.

Derek était bouche bée devant la simplicité des lieux et la chaleur de l'accueil. S'il avait accepté de profiter de ce réseau de contacts tout africain, c'était d'abord pour rencontrer des gens et il était bien servi.

Une chose intriguait Derek depuis sa rencontre avec le roi des Gourounsis: quel sens donner à la rose des sables? S'il avait facilement interprété le chêne et la pomme, la rose demeurait une énigme.

— Est-ce que, interrogea Derek, pendant qu'Amadou examinait sous tous les angles l'objet fétiche que lui avait remis le roi des Gourounsis, je devrais y voir une signification particulière?

— Je n'ai pas vraiment de réponse, répliqua Amadou, mais Moctar le griot pourrait peut-être t'aider.

Les griots sont les dépositaires de la tradition orale, des artistes dans l'âme, qui ont le pouvoir d'interpréter les événements et de leur donner un sens. Ils forment en Afrique noire une classe à part et sont souvent entourés dans leurs déplacements d'une foule de désœuvrés.

Si les griots jouaient jadis un rôle important à titre de conseillers des rois, des princes et des chefs de guerre, ils avaient depuis perdu de leur lustre. Autrefois, on naissait griot, aujourd'hui on le devenait, notamment pour gagner sa vie.

Lorsque Moctar, un Peul de haute stature, vêtu d'une tunique bleue et coiffé d'un chapeau pointu, se présenta chez Amadou entouré d'une dizaine de curieux, personne, mis à part Derek, ne semblait s'étonner de sa présence et se demander comment il savait qu'on avait besoin de ses services.

Le griot jeta un coup d'œil rapide à la rose des sables que lui avait présentée le jeune routard. Pour lui, le sens était clair.

— La rose des sables te protégera pour la suite de ton voyage, dit le griot à l'attention de Derek, mais tu comprendras mieux le sens à donner à ton médaillon une fois à Pétra, une ville du Proche-Orient surnommée « La rose des sables ». Pétra sera une étape importante dans ta quête autour du monde. Encore faudra-t-il que tu fasses preuve d'une grande ouverture d'esprit si tu veux que la magie opère.

Ce n'était pas la première fois que Derek se faisait rabrouer pour son scepticisme. L'Afrique était un terrain propice aux forces surnaturelles, et Derek demeurait perplexe face à toutes ces croyances. Il allait, de toute façon, devoir prendre son mal en patience. Le Proche-Orient, ce n'était pas pour demain. Il devait encore remonter les côtes de l'Afrique de l'Est et parcourir des milliers de kilomètres avant d'arriver aux portes de « La rose des sables ».

Chapitre 34
Le conseil des guerriers

Au pays des Massaïs, Tanzanie

Le cratère du Ngorongoro, situé au nord de la Tanzanie, ne couvre que 300 km^2, mais il s'est créé dans cet espace restreint une sorte de paradis terrestre où cohabitent la plupart des animaux d'Afrique. Dans le creux de ce volcan qui s'est jadis volatilisé dans une gigantesque explosion, la végétation, une fois la poussière retombée, a repris ses droits, suivie par les herbivores et leurs prédateurs naturels. Dans le ventre de ce cratère se jouent la création du monde et l'équilibre entre les espèces. Ngorongoro est une sorte d'arche de Noé africaine.

Derek ne pouvait s'offrir le luxe de passer la nuit au Crater Lodge, qui surplombe le cratère du Ngorongoro et offre le gîte aux touristes bien nantis en mal d'exotisme. Aussi avait-il opté pour le camping, mais c'était sans compter la présence des hyènes qui rôdaient dans les parages. Le rugissement de ces charognards autour de la tente de Derek laissait présager le pire pour quelqu'un qui n'était pas familier avec les bruits insolites de la savane africaine.

Fort heureusement pour lui, alerté par le rugissement des bêtes, un jeune Massaï qui passait par là eut tôt fait d'intervenir et de repousser la harde avec la pointe de sa lance. Il invita Derek à le suivre. Sans connaître les véritables intentions du jeune guerrier, Derek jugea qu'il s'en tirerait mieux avec cet inconnu que laissé à lui-même.

Vêtu d'une *shuka* noire, sorte de couverture dont se couvrent les Massaïs, les cheveux enduits d'ocre et de graisse, arborant une coiffe composée de plumes d'oiseaux, le visage maquillé de blanc dont aurait pu s'inspirer le groupe Kiss et se tenant comme en équilibre sur le bâton qui lui servait de lance, son protecteur avait une silhouette irréelle au clair de lune et inspirait, de prime abord, bien peu confiance.

Takuna était un jeune guerrier massaï en période d'initiation qui devait le mener à la vie d'adulte, ce qui expliquait son allure plutôt singulière. Il était, comme des dizaines d'autres jeunes *sopollos*, en période de transit vers le prestigieux statut de *morane* et en voie de devenir un véritable guerrier. C'était en faisant sa ronde régulière aux abords du *manyatta*, le campement aménagé pour les *sopollos*, qu'il avait été attiré par les rugissements des hyènes.

Derek, une fois derrière l'*enkang*, l'enclos de buissons épineux, allait apprendre à connaître ses hôtes, de jeunes guerriers qui se remettaient tant bien que mal du rituel de la circoncision, un passage obligé avant d'atteindre l'âge adulte. Ntokote, un guerrier massaï dans la force de l'âge, agissait comme mentor.

Ntokote était majestueux. Sa longue silhouette drapée comme dans une toge pourpre imposait le respect. Ce Massaï, sorti d'une autre époque, avec ses colliers de pierres, les lobes de ses oreilles troués et distendus par de lourdes boucles, armé d'un bâton terminé par une lance et marchant pieds nus, incarnait toute la savane africaine.

Derek suivit Ntokote jusqu'à sa *inkajijik*, une hutte circulaire faite de branches cimentées entre elles par un mélange de boue, d'herbes, de bouse de vache et de cendres.

— Enkaï a dû te conduire jusqu'à moi, dit Ntokote, en guise de bienvenue.

— Qui est ce Enkaï? reprit Derek, qui connaissait bien peu de choses de la culture et des croyances des Massaïs, sinon qu'il avait appris au cours des derniers jours dans le *manyatta* à s'adapter au régime alimentaire de ce peuple d'éleveurs composé essentiellement de lait, de viande et parfois même du sang des bêtes.

— Enkaï est le dieu de notre peuple, enchaîna Ntokote, qui fit des Massaïs les propriétaires de tout le bétail. C'est le *laibon* qui intercède auprès d'Enkaï pour assurer de bonnes récoltes et un bétail en santé. C'est lui que tu devrais rencontrer avant de poursuivre ta route.

— Ce *laibon*, interrogea Derek plus tard dans la soirée, alors qu'il s'était joint aux *sopollos* autour d'un feu de camp, va-t-il accepter la présence d'un étranger dans le *manyatta*?

— Le conseil des guerriers se réunit demain, dit Ntokote, afin de rassurer Derek. Tu auras l'occasion de les rencontrer, et s'ils le jugent pertinent, tu pourras même les accompagner et aller à la rencontre du *laibon*.

Les nuits n'étaient pas vraiment calmes aux abords du cratère du Ngorongoro. L'enclos de buissons épineux était une barrière bien fragile pour se protéger des fauves qui rôdaient à la tombée du jour.

Ntokote, bien emmitouflé dans sa *shuka* pour mieux lutter contre la fraîcheur de la nuit, ne disait mot, se contentant d'être attentif lui aussi aux bruits insolites de la savane africaine.

Le jour perçait à peine que déjà on s'activait autour du *manyatta*. Plus tôt on vaquait à ses occupations, plus vite on pouvait se libérer pour les heures les plus chaudes de la journée. Traire les vaches et les amener paître étaient les principales activités des Massaïs.

Le conseil des guerriers allait bientôt commencer. Le chef spirituel du clan présidait la cérémonie. Il invita Derek à se joindre au groupe. Après qu'il eut imploré Enkaï de protéger les troupeaux, les débats pouvaient commencer.

Après quelques heures passées sous l'arbre à palabres, une vingtaine de guerriers furent finalement autorisés à se rendre auprès du *laibon*, une occasion pour le clan de s'acquitter d'une dette envers lui – une quarantaine de vaches – pour avoir présidé la grande cérémonie de l'*Eunoto* qui avait fait d'eux des guerriers à part entière.

Ils allaient, pendant la durée du trajet d'une dizaine de jours, dormir dans la brousse avec leur troupeau et faire face à tous les dangers.

Si Derek avait été bien accepté par le clan, il n'avait pas été autorisé à accompagner le groupe dans la savane, car, contrairement aux guerriers, il n'avait pas en main le sac de poudre aux vertus protectrices remis par le *laibon* lors de l'*Eunoto*. Les dangers étaient trop grands, au dire de Ntokote.

Faisant fi des conseils de Ntokote, Derek décida quelques jours plus tard, contre vents et marées, de se rendre au *manyatta* du *laibon* par ses propres moyens.

— Permets-moi tout de même de te faire une mise en garde, insista Ntokote, qui avait eu vent de ses intentions. Méfie-toi des femmes du *laibon*. Chez les Massaïs, les femmes séduisent souvent les visiteurs et les femmes du *laibon* sont particulièrement entreprenantes. La rumeur raconte que ceux qui ont succombé à leurs charmes ont connu par la suite une fin tragique.

Derek, ayant déjà entendu parler de cette coutume, jugeait que comme Blanc il était un peu à l'abri de tout ça, mais c'était mal connaître l'hospitalité africaine.

Si les transports en commun laissent à désirer en Afrique noire, il y a toujours un motocycliste qui est prêt à prendre un passager pour quelques dollars. Ainsi, Derek arriva devant le *manyatta* du *laibon*, «le sorcier» comme l'appellent parfois les Massaïs, des jours avant les guerriers et leur troupeau.

Il n'avait pas l'intention de pénétrer dans le *manyatta* avant l'arrivée du groupe, mais la présence d'un étranger qui vivait sous une tente de toile aux abords de ce village de terre crue ne passa pas inaperçue.

Entre-temps, Ntokote, inquiet pour Derek, avait pris l'initiative de le rejoindre. Comme les femmes du *laibon* commençaient à roder autour de la tente, et ce, pour des raisons évidentes, Derek, accompagné de Ntokote, dut brûler les étapes et entrer dans le *manyatta* du sorcier, devançant de ce fait les guerriers qui étaient encore à plusieurs jours de marche.

Le *laibon*, un homme de caractère dans une frêle silhouette, jugea Derek bien téméraire d'avoir pris ainsi la route par lui-même.

Sur ordre du vieil homme, une fillette sortit d'une hutte avec une calebasse remplie de lait. Elle s'approcha et courba la tête devant le *laibon* en signe de respect. Ce dernier lui effleura le crâne de sa main décharnée dans un geste de bénédiction et offrit ensuite du lait à Derek et à Ntokote dans un nuage de mouches qui ne semblaient pas vouloir lâcher prise.

— Au commencement, dit le *laibon,* comme s'il se faisait un devoir d'expliquer l'origine des Massaïs chaque fois qu'il en avait l'occasion, Enkaï a créé de petits hommes et leur a donné le miel et les animaux sauvages. Puis il a créé les cultivateurs et leur a offert les graines et les semences. Enfin, à ses enfants préférés, les Massaïs, il a fait don du bétail. Si les Massaïs ont reçu le bétail du dieu Enkaï, ils n'en acceptent pas moins de partager avec les étrangers de passage, comme tu pourras le constater lors de la fête qui aura lieu au cours des prochains jours.

Après avoir empli d'herbes les naseaux d'un taureau, on le tua par étouffement dans le but de conserver tout son sang. Un ancien lui ouvrit ensuite la gorge, coupa la veine jugulaire d'où jaillit un sang rouge vif et lui excisa la peau du cou pour que le sang s'écoule comme dans une grande poche. On y ajouta de l'alcool, du millet, du lait et un mélange d'herbes et de racines en poudre avant de boire ce mélange à tour de rôle. Si Derek se contenta de tremper les lèvres, pour les Massaïs, c'était là un mets de choix. Le taureau était ensuite découpé pour être cuit sur un feu de bois.

— Je sais que tu dois poursuivre ta route, dit le sorcier, en posant son regard sur Derek, alors que les guerriers, après avoir bien mangé, dansaient autour du feu. Loin de moi l'idée de vouloir t'en dissuader, mais les Massaïs craignent beaucoup tout ce qui vit en dehors du *manyatta*. Ce qui est bon pour un Massaï devrait être bon pour un étranger, conclut le sorcier en lui remettant un sac de poudre pour le protéger des dangers du monde extérieur.

Derek reprit la route jusqu'à Nairobi, au Kenya, puis jusqu'à Moyale, à la frontière de l'Éthiopie.

Chapitre 35
La fête de la *Timkat*

Lalibela, Éthiopie

Il fallut à Derek près de huit heures pour parcourir en autocar, dans des conditions difficiles, la centaine de kilomètres qui séparaient Moyale de Mega. Le soir venu, faute de mieux, il s'installa comme d'autres passagers sur une des banquettes de l'autocar pour la nuit, une bonne façon d'être certain de ne pas manquer le départ le lendemain matin.

Addis-Abeba se méritait. Plusieurs jours furent nécessaires pour parcourir les quelque 500 km qui séparaient Moyale de la capitale éthiopienne. Il en fallut autant pour atteindre Lalibela, la ville sainte, plus au nord, juste à temps pour la fête de la *Timkat* (Épiphanie).

Derek n'était pas encore descendu de l'autocar qu'il était abordé par un certain Solomon, un jeune Éthiopien d'une vingtaine d'années qui, comme beaucoup d'autres jeunes en Afrique, offrait ses services comme guide.

Fait étonnant, Solomon, qui gravitait autour des églises de Lalibela afin de soutirer quelques birrs aux étrangers de passage, avait remarqué d'emblée le médaillon que portait Derek et auquel peu de gens avaient porté attention en Afrique noire. Il posait beaucoup de questions. De fait, ce médaillon lui rappelait quelque chose. Mais quoi exactement?

L'Éthiopie, pour avoir fait commerce avec certains pays d'Asie au cours de son histoire, notamment avec l'Inde, avait développé des liens culturels, subi diverses influences et repris certains symboles proches du sous-continent indien. De là probablement l'intérêt de Solomon pour son médaillon, conclut Derek.

Au Moyen Âge, on a sculpté à Lalibela des églises à même la montagne. Elles sont uniques au monde et à la fois le lieu le plus singulier et le plus sacré d'Éthiopie. Le pays, isolé pendant mille ans du reste de la chrétienté et entouré par le monde musulman, a développé au cours des siècles des rites religieux originaux, comparables à nul autre. En Éthiopie, les références chrétiennes de Derek ne lui étaient pas plus utiles que dans un monastère tibétain, tant les rites qui y étaient pratiqués lui paraissaient étranges.

— L'église Saint-Georges, sculptée dans le roc et reprenant la forme d'une croix grecque, expliqua Solomon qui prenait son rôle de guide très au sérieux devant ce qui était le principal attrait de Lalibela, contiendrait une copie des *tabots*, les tables de la loi remises par Dieu à Moïse au mont Sinaï. Le clergé de Lalibela étant responsable de la protection des tables de la loi, chaque église en possède une copie afin de confondre les malfaiteurs qui voudraient s'emparer des précieuses reliques. Qui plus est, et toujours selon les croyances, celui qui s'en emparerait ou qui oserait tout simplement tenter de voir les *tabots* s'attirerait les malédictions du ciel.

À l'approche de la *Timkat*, une des fêtes les plus importantes du calendrier religieux éthiopien, les pèlerins se retrouvaient à Lalibela, appelée la «Jérusalem noire», après des jours, voire des semaines, de marche. Cette fête revêtait une importance particulière parce qu'on y soulignait l'adoration par les rois mages, originaires selon la croyance d'Abyssinie, nom donné à l'Éthiopie dans l'Antiquité, de même que le baptême du Christ.

La veille de l'Épiphanie, l'ambiance était fébrile dans les temples de Lalibela. À cette effervescence, qui était palpable, s'ajoutaient les battements de tambour, les chants de plus en plus soutenus et un tourbillon de parasols en satin et de robes brodées aux couleurs chatoyantes, alors que se mettaient en branle une procession de *diaconos* (porteurs de croix), de *depteras* (détenteurs de la liturgie) et les *kes*, les officiants transportant sur leur tête, enveloppés dans des tissus, les *tabots*, les copies des tables de la loi remises par Dieu à Moïse au mont Sinaï. À l'occasion de la *Timkat*, l'Église sortait ses plus beaux atours et soulignait sans retenue le prestige du clergé.

Derek, arrivé un peu tardivement à Lalibela et faute d'hébergement, avait dû à la nuit tombée faire comme tout le monde et se coucher sur un tas de paille et de feuilles à la belle étoile. Mais en optant pour ce mode d'hébergement, il prêtait le flanc aux malfrats de tout acabit.

Lorsqu'il se réveilla au petit matin, son médaillon s'était envolé. Il eut beau remuer à plusieurs reprises la paille qui lui avait servi de matelas, il dut se rendre à l'évidence. Son médaillon avait disparu et aucune trace de Solomon. Mais un jeune Éthiopien vint lui transmettre un message : son guide avait pris l'initiative d'emprunter le médaillon, curieux qu'il était de pousser ses recherches sur le sens à donner à cet objet inusité.

C'était le branle-bas à quatre heures du matin, jour de la *Timkat*, mais Derek n'avait pas le cœur à la fête. Pouvait-il faire confiance à Solomon ?

Après la messe, on procéda à un baptême collectif. L'officiant, vêtu comme un roi mage, aspergea à tour de bras et jusqu'à la dernière goutte d'eau bénite l'ensemble des fidèles. Un bœuf tué pendant la nuit, accompagné de l'incontournable *injera*, une galette à base de céréales cuite au four et de sauce piquante, allait clore la fête. Les *kes*, les porteurs de *tabots*, accompagnés de chants et de danses, pouvaient reprendre le chemin des temples.

Pourquoi Solomon ne pouvait-il pas attendre qu'il l'accompagne ? se demanda Derek, alors que s'éloignaient les *kes*.

Son seul point de repère était l'église Saint-Georges qu'il avait visitée en compagnie du jeune guide. Mais Solomon était toujours introuvable.

Abel, un *deptera* détenteur de la liturgie attachée à cette église que Derek avait rencontré la veille, s'intéressait beaucoup aux objets de culte et avait remarqué le svastika, mieux connu en Occident comme le symbole du Troisième Reich, qui se trouvait à l'envers de son médaillon.

— Le svastika adopté par l'Allemagne hitlérienne, expliqua Abel, est un symbole originaire d'Inde depuis des millénaires. Il est fort répandu chez les hindouistes et les bouddhistes. On le trouve également en Éthiopie et on l'associe souvent à un porte-bonheur. Ce symbole apparaît d'ailleurs sur une des fenêtres de Bete Maryam (la maison de Marie) ici à Lalibela.

Tout juste de retour des célébrations de la *Timkat* et toujours vêtu de ses habits d'apparat, Abdel poursuivit :

— C'est probablement pour cette raison que ton médaillon présente tant d'intérêt aux yeux de Solomon.

— Et Solomon, ajouta Derek, n'ayant qu'une seule préoccupation, savez-vous où on peut le trouver ?

— Je pense que Salomon est intrigué par ton médaillon et qu'il a voulu en savoir plus sur cet objet, répliqua Abel comme pour calmer le jeu. Le marché de Lalibela est passablement animé ces jours-ci avec des gens venus d'un peu partout, et l'afflux de pèlerins est propice aux rencontres et aux échanges. Tu as peut-être des chances de le trouver là-bas.

— J'espère seulement qu'il n'aura pas l'idée de le vendre, ajouta Derek, qui craignait le pire.

Derek se retrouva rapidement au marché, mais à voir les vendeurs d'épices, de *chamas* (le vêtement traditionnel des Éthiopiens), de feuilles de qat fraîchement cueillies, une drogue qu'on consommait surtout entre hommes, il en vint rapidement à la conclusion qu'il y avait peu de risque que son médaillon trouve preneur dans cette économie de survie. Les abords des temples étaient à première vue des endroits peu propices à un tel échange.

Il les fit tous, de Bete Medhane Alem (la maison du Sauveur du monde) à Bete Ghenetta Maryam (la maison de Marie), en passant par Bete Emanuel (la maison d'Emanuel) pour revenir à Bete Ghiorghis (la maison de Saint-Georges), mais sans succès.

C'est à Bete Golgotha (la maison du Golgotha), le temple où se trouvait, selon la croyance, la tombe d'Adam, que Derek aperçut Solomon en train de commenter sa trouvaille entouré de nombreux curieux.

— Que fais-tu avec mon médaillon ? dit Derek, contrarié.

Solomon, qui se trouvait en présence d'un *deptera*, ne se fit pas prier et remit le médaillon à son propriétaire.

Derek comprenait mal l'initiative de Solomon, et des excuses de sa part n'auraient rien changé. Il en avait été quitte pour une bonne frousse. L'affaire était close.

— Voilà l'objet dont je te parlais hier, insista Solomon, en tentant de justifier son geste.

— De quoi parles-tu ? reprit Derek, qui n'avait pas vraiment porté attention aux commentaires de Solomon la veille.

— Du svastika, ajouta Solomon, en lui remettant l'objet en question qui correspondait étrangement, en raison de sa taille, à celui qui était gravé au dos de son médaillon.

Dans un geste instinctif, Derek prit le svastika et le plaça contre celui qui était gravé pour constater, à sa grande surprise et celle des curieux qui s'étaient agglutinés autour d'eux, que les deux pièces s'imbriquaient parfaitement comme si elles se complétaient et ne faisaient qu'une.

Le temps d'un éclair, un faisceau lumineux jaillit du médaillon, puis plus rien.

Le *deptera* n'en croyait pas ses yeux. C'était comme si les deux pièces avaient été faites l'une pour l'autre et qu'elles venaient, comme par hasard, d'être à nouveau réunies et de donner au médaillon un pouvoir insoupçonné.

C'était comme si le médaillon, qui symbolisait toute la lutte pour la survie de Derek, ballotté entre les forces du bien et du mal qu'il croisait sur sa route, prenait un sens particulier en se fusionnant au svastika, un porte-bonheur pour les Éthiopiens.

Le médaillon n'avait, de toute évidence, pas encore livré tous ses secrets.

Les derniers fidèles qui traînaient encore autour du Bete Golgotha, frileusement enveloppés dans leur traditionnel *chama* blanc et fatigués après deux jours de célébrations, commencèrent à briser les rangs, à se disperser dans la montagne et à s'éloigner, comme dans une scène biblique, vers mille destins.

Chapitre 36
Au marché de dromadaires

Daraw, Nubie, Égypte

La route entre Asmara (Érythrée) et le Soudan avait tout d'un *no man's land*. Le transport était incertain, et bien malin qui aurait pu donner des précisions sur la façon de se rendre jusqu'à Khartoum sans encombre.

Une fois à Khartoum, un train allait conduire Derek dans le désert de Nubie jusqu'à Wadi Halfa, sur les rives du lac Nasser. De là, un bateau lui permettrait de remonter le Nil jusqu'à la ville d'Assouan, la porte d'entrée de l'Égypte.

Les deux jours passés à bord du train entre Khartoum et Wadi Halfa ne furent pas de tout repos. Si, en première classe, les passagers avaient eu droit à de bons repas et à un bon lit, en troisième classe, le nombre de places étant limité, Derek avait dû jouer du coude simplement pour monter à bord et se tailler une place plus ou moins confortable pour la durée du trajet.

Dans les wagons, les gens étaient entassés comme du bétail. Les pleurs des enfants, que le sein maternel ne parvenait pas toujours à consoler, les raclements de gorge et les crachats s'ajoutaient au vent chaud du désert de Nubie, au grincement des roues grippées par le sable et aux appels répétés des vendeurs à la criée qui faisaient constamment la navette entre les wagons.

Le soir venu, enroulés dans leur djellaba, les gens s'installaient à qui mieux mieux sur les banquettes ou le plancher des wagons, occupant chaque centimètre carré. Derek avait mal dormi, mais il allait se reprendre le soir suivant à Wadi Halfa, blotti confortablement entre des sacs postaux qui attendaient d'être ramassés sur le quai de la gare.

Sur le bateau qui devait le conduire à Assouan, le voyage se poursuivit en troisième classe, c'est-à-dire sur le pont. Le débarquement au barrage d'Assouan quatre jours plus tard se déroula, à l'image de l'embarquement, dans la panique générale. Le bateau aurait été en train de couler que la scène n'aurait pas été plus apocalyptique. Tous voulaient descendre en même temps, comme si le voyage depuis le Soudan avait mis la patience de tout le monde à rude épreuve.

Ce périple dans le désert de Nubie et sur le Nil avait tout de même permis à Derek de créer des liens.

— Pourquoi ne viens-tu pas à Daraw avec moi ? lança Idriss, un jeune Égyptien rencontré sur le pont du bateau entre Wadi Halfa et Assouan, à l'intention de Derek, après avoir mis pied à terre. Daraw est bien connu pour son marché de dromadaires.

Idriss venait de toucher une corde sensible.

On conduisait depuis fort longtemps en Égypte des dromadaires du Soudan en longues caravanes dans le désert de Nubie sur la *Darb al-Arba'in* (la route des quarante jours). Si, à une époque, on transportait à dos de dromadaires des esclaves, des pierres précieuses, des peaux d'animaux et autres produits, de nos jours, en raison d'autres moyens de transport plus efficaces pour acheminer la marchandise, les dromadaires étaient à eux seuls la cargaison.

— À Daraw, expliqua Idriss en arrivant au marché, un dromadaire peut se vendre jusqu'à 5 000 livres égyptiennes (1 000 $) et encore plus cher au Caire. D'où l'intérêt pour les marchands de la capitale de venir s'approvisionner au sud de l'Égypte, renchérit-il, comme pour donner de l'importance à ce coin perdu.

Acheter un dromadaire, c'est ce que proposa un peu pince-sans-rire le responsable de ce marché à Derek. Mohamed Abdel Rahem, un personnage coloré d'une soixantaine d'années, portait comme tous les Nubiens la djellaba toute blanche et le turban. À en juger par l'effervescence qui régnait dans ce marché, Mahomed était peut-être le seul à avoir un peu de temps à lui consacrer, même si Derek n'avait pas vraiment le profil d'un acheteur.

Il était encore tôt le matin et déjà, les transactions terminées, des camions chargés de dromadaires prenaient la route de Bisqash, en banlieue du Caire, où ils allaient être écoulés pour le marché de l'importation ou les travaux domestiques, ou encore envoyés à l'abattoir pour devenir, même s'il pouvait paraître exotique de se payer un bifteck de dromadaire, la viande des pauvres.

Mohamed allait être une référence précieuse pour la suite des choses. Grâce à ce dernier, Derek trouva rapidement une occasion de remonter le Nil à bord d'un camion jusqu'à la capitale égyptienne.

— Une fois que tu seras arrivé à destination, va rendre visite à Yamine, un vieil ami, lui recommanda-t-il, après avoir griffonné quelques mots en arabe sur un bout de papier!

Le Caire s'étend à perte de vue et ne se laisse pas apprivoiser facilement. Il faut donc mettre temps et efforts pour apprécier *Oum ed-Dounia* (la mère du monde). Les références de Mahomed allaient s'avérer fort utiles.

Grand carrefour du monde arabe, Le Caire offre sa vie nocturne, une ambiance qu'on ne trouve pas dans d'autres pays musulmans aux mœurs plus rigides. On vient au Caire pour y brasser des affaires, y poursuivre ses études derrière les murs de sa célèbre université coranique Al-Azhar, ou tout simplement pour y vivre l'expérience de la grande ville.

Mais c'était surtout le vieux bazar Khan el-Khalili et les souks qui retenaient l'attention de Derek.

Le Caire, dont la diversité de la population trahit mille ans d'histoire, a beaucoup de caractère. La ville ressemble à un collage d'influences et de cultures qui se sont juxtaposées au gré des conquêtes et y ont laissé leurs traces. Au Caire, les valeurs traditionnelles et modernes, urbaines et rurales, orientales et occidentales se mélangent constamment et semblent faire bon ménage. Si certains sont résolument tournés vers l'Occident, le flux massif et constant de paysans y maintient une ambiance tout égyptienne.

Les cinq minarets de la mosquée d'Al-Azhar constituent un des principaux points de repère du Caire. L'établissement d'enseignement millénaire le plus prestigieux du monde arabe et considéré comme le phare de l'islam continue d'attirer des étudiants de tous les pays musulmans. Le vendredi, à la sortie de la grande prière hebdomadaire, toute la ville semble s'y être donné rendez-vous.

L'islam est indissociable du Caire, et les innombrables dômes et minarets des mosquées qui découpent le ciel en témoignent. Comme dans toute ville musulmane qui se respecte, c'est l'*adhan* qui retient l'attention, l'appel à la prière lancé de toutes les mosquées par les muezzins de leur voix sonore et nasillarde, dans une cacophonie qui semble délibérée.

La tradition musulmane impose aux croyants cinq obligations appelées les cinq piliers de la foi : la profession de foi attestant qu'il n'y a de dieu qu'Allah et que Mahomet est son envoyé, la prière accomplie cinq fois par jour, l'aumône, le jeûne à observer pendant le mois du ramadan et le pèlerinage à La Mecque. Si toutes les religions comportent un certain nombre de gestes accomplis à la vue de tous, la religion musulmane est plus que toute autre tournée vers l'expression extérieure. En plus d'une croyance, c'est un code de comportement qui régit tous les aspects de la vie des fidèles. C'est peut-être pour cela qu'au Caire l'islam semble prendre toute la place.

Le quartier de Al-Gamaliya, coincé entre la mosquée Al-Hakim et la mosquée Al-Azhar, est au cœur de la ville. Dans ses rues bondées, ses échoppes, ses étals et ses cafés, où les hommes discutent pendant des heures, tuyau de *chichah* (narguilé) aux lèvres en égrenant leur *sabha* (chapelet musulman) et en pensant à tout sauf à la prière, le temps s'est arrêté. Le souk Khan el-Khalili, au cœur du Caire islamique, est un véritable labyrinthe de bric-à-brac, de métiers et trouvailles de toutes sortes. C'est l'âme du Caire. C'est là que Derek rencontra Safouan, un jeune Égyptien originaire d'Alexandrie qui avait proposé de l'aider à trouver ce vieil ami dont Mohamed lui avait parlé.

— Tu sais où habite Yamine ? dit Safouan un peu étonné, en jetant un coup d'œil rapide autour de lui dans la ruelle mal éclairée et en essayant de déchiffrer les coordonnées sur le bout de papier que lui avait remis Derek.

— Non, je n'en ai aucune idée. Dans le quartier de Zamalek ? répondit Derek à la blague parce qu'il s'agissait d'un des quartiers chics du Caire où on trouve les grands hôtels et où un grand nombre d'Occidentaux ont élu domicile.

— Dans Bab el Nsar, une des cités des morts du Caire, rétorqua Safouan pour mettre rapidement fin au suspense. Je pense vraiment qu'il serait préférable que je t'accompagne. Ces quartiers ont plutôt mauvaise réputation.

Chapitre 37
La cité des morts

Le Caire, Égypte

Si chaque quartier du Caire a son histoire et ses attraits particuliers, les cités des morts offrent une vision bien particulière de la vie de milliers de Cairotes. Les cités des morts du Caire, dont les plus importantes se trouvent à proximité de la citadelle près du centre historique de la capitale égyptienne, ne sont pas des cimetières ordinaires. Ce sont de véritables nécropoles avec rues et mausolées aménagés à l'intention des morts certes, mais aussi des vivants qui viennent traditionnellement leur rendre hommage. Ces cités comptent des centaines et des centaines de pierres tombales à la mémoire des morts, mais également des mausolées. Certains sont très imposants et conçus comme des maisons, avec une cour intérieure entourée de plusieurs pièces traditionnellement confiées à des *bawabs* (gardiens) qui en assurent l'entretien et y résident en permanence avec leur famille.

Alors que la population du Caire augmentait, les sans-abri qui connaissaient l'un ou l'autre de ces gardiens ou parce qu'ils étaient originaires d'un même village ne tardèrent pas, faute d'espace vital ailleurs, à entrer en contact avec le cousin, le beau-frère ou le voisin et à venir s'installer dans ces cités des morts. Ces « nouveaux quartiers », tout de même situés près du centre-ville, sont devenus avec le temps des villes dans la ville avec leurs épiceries, leurs cafés et leurs marchés. Ils comptent aujourd'hui plus d'un million d'habitants qui passent leur vie à l'ombre de la mort.

Si, dans certains secteurs de ces cités pas comme les autres, on a parfois ajouté des étages aux mausolées par besoin d'espace, faisant presque oublier ou disparaître toute trace des tombeaux d'origine, dans d'autres secteurs on vit dans de petites maisons construites entre les pierres tombales ou on occupe littéralement les mausolées existants. Certains profitent d'un peu d'espace et même de quelques arbres et arbustes donnant des airs de campagne à ces lieux qui pourraient sembler sordides, mais d'autres vivent dans des conditions plus difficiles, si ce n'est littéralement entourés de détritus.

Devant cet état de fait et ce développement domiciliaire non planifié par les urbanistes, des fils électriques courent le long des murs et un réseau de canalisation a été installé à même le sol pour répondre aux besoins de base de cette population qui semble être là pour y rester. Avec l'afflux des squatters, les cités des morts se sont donc de plus en plus urbanisées. Les ruelles ont un nom et les portes un numéro. On est ici pour la vie et de génération en génération.

On naît dans les cités des morts et on peut y passer toute sa vie. Par nécessité ou par choix ? Difficile à dire. Peut-être un peu des deux. Par nécessité, certes, faute de logements, et peut-être par choix si on compare les cités des morts, relativement bien entretenues par respect pour les défunts, à d'autres quartiers populaires du vieux Caire qui sont dans un tel état de délabrement qu'on dirait que la ville se relève à peine d'une guerre de tranchées ou d'un tremblement de terre.

Si certains préfèrent ne pas y être vus et semblent subir plutôt qu'apprécier leurs conditions de vie, d'autres font visiter leur chez-soi avec beaucoup de fierté. On vit dans les mausolées et les caveaux, on fait sa lessive et sécher son linge sur une corde tendue entre deux monuments funéraires, on fait la sieste comme partout ailleurs pendant les heures les plus chaudes de la journée bien installé sur une pierre tombale, on élève des poules, des oies et des canards, on se met à table sur un tombeau et les enfants s'amusent avec leur cerf-volant dans ce décor surréaliste de fin du monde. Des enfants y naissent tous les jours, des morts y sont également toujours enterrés, et entre ces deux grandes étapes, il y a tous ceux qui y vivent.

— Pourquoi, demanda Derek à son guide, alors qu'ils descendaient une des nombreuses ruelles de Bab el Nasr, Mohamed a-t-il donné les coordonnées de Yamine puisqu'il savait qu'il vivait dans de telles conditions ?

Safouan se posait la même question.

— Tu fais confiance à Mohamed ? demanda Safouan.

— Bien sûr que oui, rétorqua Derek. Il avait une tête honnête et il m'a donné un bon coup de main pour me permettre de me rendre jusqu'au Caire. Je pense qu'il voulait tout simplement me donner le nom d'un contact au Caire au cas où...

Même si l'adresse était plus ou moins précise, ils eurent tôt fait de trouver Yamine, qui semblait assez bien tirer son épingle du jeu, malgré les conditions de vie parfois précaires qui prévalaient dans le Bab el Nasr. Il était un témoin privilégié de la vie dans cette cité des morts et, ne serait-ce qu'à ce titre, cette rencontre valait son pesant d'or.

Dans la conversation qui suivit où Derek résuma ses dernières années et qui portait sur le sens à donner à la vie et à la mort, Yamine lui dit :

— Toi aussi, tu vis avec la mort, en indiquant d'un mouvement de la tête le pendentif qu'il portait au cou. Ton médaillon peut être à la fois source de vie et source de mort, selon l'intention de celui qui le porte, si j'ai bien compris sa signification. À Bab el Nasr, on vit aussi sur la corde raide, quelque part entre la vie et la mort. Mais qu'est-ce que la vie ? Qu'est-ce que la mort ? Un mort peut très bien continuer à vivre en chacun de nous et un vivant peut déjà être mort à nos yeux. Un homme qui n'a pas de projets, qui n'a plus de rêves ou d'ambitions, n'est-il pas déjà mort? Un homme qui ne vit que pour lui-même, n'est-il pas déjà mort?

D'origine nubienne, culturellement à cheval entre l'Afrique noire et l'Afrique blanche, Yamine faisait la synthèse d'un continent, preuve que même dans la cité des morts on pouvait incarner la vie.

— N'as-tu jamais frôlé la mort? demanda Yamine à Derek.

— Pas vraiment, répondit Derek après réflexion en ayant fait rapidement un survol des dernières années.

Il avait bien connu certains dangers qu'il considérait comme prévisibles, compte tenu des risques associés à sa façon de voyager, mais jamais il n'avait senti le besoin de se référer aux forces occultes de son médaillon, par exemple, comme le lui avait suggéré le roi des Gourounsis dans une perspective tout africaine.

Ils avaient passé trop de temps à Bab el Nasr. Le jour tirait à sa fin et Safouan devenait nerveux à l'idée de ne pas pouvoir quitter ce quartier avant la nuit. Il était temps de retourner dans la vieille ville où Derek avait un pied-à-terre.

Si, aux portes du Caire, le Nil perd un peu de son attrait, masqué par les édifices en hauteur et étouffé par la pollution, le grand fleuve n'en demeure pas moins bien vivant à en juger par l'animation le long de ses berges.

Le soir venu, le pont aux Lions devient un lieu de rencontre privilégié où on se retrouve en famille, en couple ou entre amis et d'où on regarde couler les eaux sombres du Nil et scintiller les lumières de la «mère du monde». C'est le passe-temps de ceux qui ne peuvent se payer le luxe de sortir vraiment de cette mégalopole qui, le jour, ressemble à un grand gouffre.

Des ponts qui enjambent le Nil, Derek, comme des milliers d'autres Cairotes, avait un peu l'impression de prendre un certain recul et de mieux pouvoir apprécier la ville. Le Caire ne dort jamais, mais se calme un peu avec la tombée du jour. Avec ses milliers de lumières qui brillent, la cité devient effectivement plus belle, plus humaine et plus invitante à découvrir.

Derek, qui s'apprêtait à quitter le sol africain, garderait un bon souvenir de ce continent qui faisait un peu bande à part, et ce, même si les conditions de voyage avaient souvent mis le routard aguerri qu'il était au défi et ses capacités d'adaptation et d'endurance à rude épreuve.

Chapitre 38
La Rose des sables

Pétra, Jordanie

Depuis Aqaba, sur les rives de la mer Rouge en Jordanie, Derek se retrouva aux portes de Pétra, la Rose des sables, dans le désert de Wadi Rum.

Si le trajet en véhicule tout-terrain semblait tout ce qu'il y a de plus banal, cette randonnée dans le désert mythique, d'où Lawrence d'Arabie avait lancé ses raids contre l'Empire ottoman, prit une tournure pour le moins inattendue lorsque la voiture s'arrêta net au milieu de nulle part.

— Que se passe-t-il ? demanda Derek à Majid, le jeune conducteur qui lui servait de guide.

— Panne d'essence, répondit tout bonnement Majid, comme si de rien n'était.

— Tu n'as pas pensé à faire le plein avant de quitter Wadi Rum ? renchérit Derek.

— Il ne faut pas s'en faire, rétorqua Majid, comme pour éviter les reproches. Je vais trouver une solution. Puis, sans autre explication, il lui tourna le dos, un jerrycan à la main.

Plusieurs heures s'étaient écoulées et Majid n'était toujours pas revenu. Les ombres s'étiraient toujours plus loin sur le sol rocailleux, annonçant la fin du jour. De retour au véhicule, après une courte promenade dans les environs, Derek pensait déjà, faute de mieux, s'installer pour la nuit sur la banquette arrière quand un Bédouin qui tenait en laisse quelques dromadaires avançant à la queue leu leu passa par là.

— *Salam!* dit le Bédouin, un homme âgé d'une quarantaine d'années, portant une djellaba toute blanche et coiffé d'un keffieh, en s'adressant à Derek, alors que son dromadaire courbait l'échine pour lui permettre de descendre.

En mettant le pied à terre, celui qui se présenta sous le nom de Jamal enchaîna, non sans une pointe d'humour:

— Tu n'as peut-être pas choisi le bon moyen de transport! Je ne pense pas que ce soit une bonne idée de passer la nuit ici. C'est Majid qui m'envoie. Il propose que tu passes la nuit à mon campement. Il devrait pouvoir venir te chercher demain matin.

Derek accepta l'invitation et se retrouva après une courte méharée à dos de dromadaire sous la *hayy*, la tente en poil de chèvre des Bédouins. Il partagea un verre de *tchai* (thé sucré) et un *mansaf* (plat de viande et de riz) qu'on mangeait avec les doigts, et vécut, ne serait-ce que quelques heures, au rythme de ces nomades du désert, au milieu de leurs troupeaux de chèvres, de moutons et de dromadaires.

Le lendemain, Majid était au rendez-vous bien avant le lever du jour. Le trajet vers Pétra se fit cette fois sans encombre.

Pétra, la cité rouge des sables, a été la capitale des Nabatéens à l'aube de l'ère chrétienne et à la croisée des chemins des principales routes caravanières reliant l'Égypte, l'Arabie et la Mésopotamie.

En franchissant le Siq, un défilé tortueux, comme un passage secret haut d'une centaine de mètres et long d'un kilomètre, seule voie d'accès à Pétra, Derek savait qu'il avait rendez-vous avec son destin. L'endroit était trop exceptionnel pour qu'il en soit autrement.

À l'extrémité de ce corridor naturel taillé dans le roc, Pétra apparaissait comme dans un rêve. La Khazneh, un monument funéraire, chef-d'œuvre de l'architecture rupestre, qu'il pouvait apercevoir entre les parois du Siq, donnait le ton. Le défilé s'ouvrait sur une vaste cuvette entourée de montagnes et dont les falaises abritaient des centaines de monuments taillés dans le roc. Au pied de la Khazneh, les quelques Bédouins chargés de la garde des lieux dormaient encore. Le jour se levait à peine sur la Rose des sables.

Mais qu'était-il venu chercher à Pétra au juste ? La rose des sables qu'il avait en sa possession et qui, de toute évidence, faisait partie de sa quête, était-elle un porte-bonheur, une monnaie d'échange, un sauf-conduit ?

Farid, un vieux Bédouin qui l'avait invité à partager son repas sous la tente, allait le mettre sur une piste. Sans connaître tous les antécédents de Derek, le Bédouin voyait dans la rose des sables que Derek lui avait montrée une sorte de talisman.

— La rose, ou la rose des sables dans le cas qui nous concerne, est ton dernier talisman pour arriver à bon port.

Pétra, la Rose des sables, semblait effectivement faire partie de son destin, comme New York ou l'île de Pâques.

— Alors, ce que vous me dites, c'est que je devrais m'y accrocher aussi longtemps que je peux et n'utiliser ce porte-bonheur qu'en dernier recours ? répliqua Derek.

— C'est ce que je crois, en effet, d'autant plus que tu as encore une longue route à parcourir, renchérit le vieux Bédouin qui venait de lui offrir un verre de thé. Mais si la Rose des sables fait partie de ton destin et écho aux prédictions de l'homme de Bénarès, comme tu sembles le croire, tu devrais peut-être t'y attarder davantage. Tu n'as peut-être pas encore trouvé réponse à toutes tes questions. Et si tu n'as rien trouvé à Pétra qui pourrait te faire avancer dans ton projet de vie, c'est peut-être parce que tu n'as pas vraiment cherché.

Après un moment de silence, Farid poursuivit :

— Pourquoi ne retournes-tu pas à la Khazneh ? Je pourrais même t'y accompagner.

Derek acquiesça. À la tombée du jour, il franchit à nouveau le Siq, à dos de dromadaire cette fois.

La veille, Derek s'était contenté d'admirer la Khazneh de l'extérieur, mais une pluie tout aussi rare que soudaine les obligea à y trouver refuge.

Ils se retrouvèrent dans la pénombre. On n'y voyait rien.

Puis, comme en réaction au mince filet de lumière du jour qui pénétrait à l'intérieur de la chambre funéraire, une lueur phosphorescente émana de son médaillon. C'était comme si le médaillon prenait le relais et dégageait une énergie jusque-là inconnue. Jamais Derek, au cours des quatre dernières années, n'avait eu une preuve aussi tangible des pouvoirs du médaillon de Bénarès.

La lumière qui s'en dégageait devenait de plus en plus intense, comme si le svastika de Lalibela donnait à son médaillon un pouvoir jusque-là insoupçonné.

Pour Farid, témoin de la scène, c'en était trop. Il sortit de la Khazneh, abandonnant Derek à son sort.

Des images, diffuses d'abord, prirent forme peu à peu sur les parois du monument funéraire. Le Ramayana, la grande épopée de Rama, une incarnation de Vishnou à laquelle son médaillon faisait référence, se déroulait sous ses yeux et l'interpellait. L'incarnation de Vishnou sous les traits de Rama, le mariage de Rama et de Sita, l'exil de Rama et l'enlèvement de Sita, la quête de Rama à la recherche de sa bien-aimée au royaume des singes et le long règne de Rama, autant de scènes qui laissaient croire qu'il n'était pas au bout de ses peines et qu'il allait, comme Rama dans sa quête de liberté et de bonheur, devoir compter sur les dieux et l'armée de singes pour revenir à la case départ.

C'était comme si soudain tout devenait clair. Dans sa virée autour du monde, Derek était devenu comme Rama, un avatar de Vishnou. Derek, le « Canadien errant », pouvait tout à coup associer sa quête à l'exil de Rama et à la recherche de Sita. Sita, l'amour perdu puis retrouvé, était à l'image du médaillon dont il avait la garde. S'il avait vu juste, s'il interprétait correctement la grande épopée du Ramayana, cela laissait entendre qu'il pourrait encore avoir besoin de l'armée de singes, de gens qu'il croiserait sur sa route, pour revenir sain et sauf à Bénarès la sainte et rapporter le médaillon à qui de droit.

Pétra, la Rose des sables, prenait tout son sens et s'inscrivait bel et bien dans sa quête.

Il était dans la dernière ligne droite et sa virée autour du monde tirait à sa fin. Il devait mettre le cap sur Bénarès pour boucler la boucle et revoir celui qui lui avait fait don d'un cadeau aussi précieux que mystérieux et qui lui causait parfois bien des soucis. Mais il y avait encore loin de la coupe aux lèvres. L'Inde était à des milliers de kilomètres.

Porter le médaillon était un privilège. S'en porter garant était une lourde responsabilité. Il ne doutait plus désormais du poids de son destin. S'il avait entrepris ce périple pour lui-même, il avait été amené au cours des dernières années à aller à la rencontre de l'autre et à se frotter à toutes les cultures et à toutes les croyances. Il avait dû sortir de sa coquille d'éternel adolescent, qui n'en finissait plus de vivre une crise identitaire, pour devenir peu à peu au contact des autres un citoyen du monde.

Chapitre 39

Inch'Allah !

Jérusalem, Israël

Certaines villes se font remarquer à une époque ou à une autre pour tomber ensuite en ruines et dans l'oubli. Jérusalem, depuis que le roi David, il y a 3 000 ans, l'a choisie comme capitale du peuple hébreu, a toujours été au cœur de l'histoire de l'humanité. Elle a été assiégée, conquise, pillée et détruite maintes et maintes fois, mais elle n'est jamais tombée dans l'oubli. Elle est marquée, plus que toute autre ville, par le poids des ans et de l'histoire. Musée à ciel ouvert, elle est la mémoire de l'homme dans sa recherche de Dieu. Jérusalem, c'est la quête de l'absolu. Plus qu'une ville, c'est un symbole pour la moitié des habitants de la planète. Pour Derek, elle était un incontournable dans son voyage autour du monde.

Jérusalem est au cœur de trois religions : le judaïsme, le christianisme et l'islam. C'est là que sont concentrés un nombre impressionnant de lieux saints : le Dôme du Roc, joyau de l'islam, d'où le prophète Mahomet serait monté au ciel selon les musulmans ; le Mur des Lamentations, vestiges du temple de Jérusalem pour les juifs ; et la Via Dolorosa, qui mène à l'église du Saint-Sépulcre et rappelle la passion du Christ pour les chrétiens. Ces sites font de cette ville trois fois sainte une source d'inspiration, mais aussi de conflits où tous les peuples de la Terre se côtoient, où toutes les tensions sociales et politiques convergent et où le sort de l'humanité pourrait se décider. Regroupant quatre quartiers, musulman, juif, arménien et chrétien, la vieille ville est pour le moins divisée.

Par souci d'économie et parce qu'il ne pouvait pas vraiment évaluer les frontières invisibles qui séparaient les différents quartiers de Jérusalem, Derek avait trouvé refuge à la tombée du jour à l'extérieur des murs de la vieille ville, dans la benne d'une camionnette stationnée à l'entrée d'un immeuble comme on en trouve partout en banlieue des grandes villes.

Habitué à un confort « sans étoiles », il s'installa pour la nuit. Mais, comme cela arrive quelquefois, c'était sans compter les activités nocturnes du propriétaire de la camionnette qui décida, à une heure avancée, de prendre le volant sans savoir qu'il avait un passager clandestin à bord.

N'ayant pas eu le temps de réagir et de descendre pendant qu'il en était encore temps, Derek se retrouva devant un bar de ce qui semblait être un quartier arabe. Puis, après un bref arrêt, il reprit la route bien malgré lui pour se retrouver au milieu de nulle part, témoin de ce qui semblait être une rencontre clandestine.

La discussion, en langue arabe, était interminable. Il aurait bien voulu prendre ses jambes à son cou, mais pour aller où ? Il se trouvait dans un terrain vague, loin de tout.

Il était, à n'en pas douter, dans de beaux draps.

La rencontre prit fin abruptement.

Le conducteur remonta dans son véhicule et reprit la route pour revenir au point de départ.

Derek aurait peut-être pu passer inaperçu si, en descendant de voiture, le propriétaire n'avait pas contourné le véhicule et remarqué que la toile de la benne de sa camionnette était baissée, ce qu'il ne faisait jamais. En la soulevant, il aperçut Derek, blotti au fond de la benne.

Inch'Allah ! se dit Derek en s'attendant au pire.

Ça n'augurait rien de bon.

— Que fais-tu là ? dit en arabe le conducteur qui réagissait plutôt mal à la situation.

Derek ne dit mot.

— Que fais-tu là ?

— Je ne comprends pas, répondit Derek en anglais, en espérant calmer le jeu.

L'homme, qui portait fièrement le keffieh palestinien, avait compris qu'il avait affaire à un étranger. D'un geste brusque, il fit signe à Derek de sortir.

— Je cherchais seulement un endroit où dormir, poursuivit Derek, donnant l'explication la plus banale possible pour détendre l'atmosphère. Il récupéra rapidement ses maigres effets éparpillés ici et là dans la benne.

Mais le Palestinien n'avait pas le cœur à rire.

— Tu n'iras nulle part ! lança-t-il à Derek, en l'agrippant par le bras alors que ce dernier s'apprêtait à prendre congé de son hôte.

Derek aurait pu tenter de s'enfuir, mais il n'en fit rien. Il s'efforça de garder son calme et surtout de ne pas être vu comme une menace, au cas où il aurait été le témoin gênant d'une rencontre en catimini dans ce qu'il croyait être le désert de Judée. Le Palestinien se détendit un peu et lâcha prise.

Comme Derek, dans la discussion qui allait suivre, expliqua qu'il s'était installé dans la benne parce qu'il n'avait pas trouvé de chambre d'hôtel à un prix raisonnable, son hôte, motivé sans doute par le désir d'en finir, proposa à Derek de le conduire à la porte de Damas où il allait pouvoir trouver à se loger à bon prix dans le quartier arabe de la vieille ville.

Tôt le lendemain matin, Derek quitta l'hôtel Tabasco et, à la porte de Damas, prit un taxi collectif pour Amman, en Jordanie, sans demander son reste et sans essayer de comprendre ce qui s'était passé la veille dans le désert de Judée.

Il avait peut-être été au mauvais endroit au mauvais moment.

Chapitre 40
Rendez-vous au Pudding Shop

Istanbul, Turquie

Quelques villes méritent une place à part pour le rôle qu'elles ont joué dans l'histoire de l'humanité, pour avoir été le creuset de civilisations florissantes et pour avoir été une plaque tournante et un carrefour important. Istanbul est du nombre.

Les mosquées, qui étirent toujours plus haut vers le ciel leurs minarets grisâtres comme des guerriers sortis tout droit de *La Guerre des étoiles*, semblent prendre toute la place et conférer à Istanbul un rôle de gardienne de la foi musulmane. Les mosquées sont depuis toujours les divas d'Istanbul.

La cité des sultans est devenue aujourd'hui la ville des Stambouliotes, une ville grouillante d'activités de millions d'hommes et de femmes qui, en provenance de toutes les régions d'Anatolie et d'ailleurs, sont venus chercher une vie meilleure derrière les murs de cette ville qui n'en finit plus de grandir. Istanbul est une fourmilière humaine. Le pont de Galata, qui relie les quartiers de Stamboul et de Beyoglu de chaque côté de la Corne d'Or, est envahi chaque jour par une marée humaine et est à l'image de la cohue et de l'effervescence de cette grande cité.

À quelques pas du pont de Galata se trouve le Grand Bazar. C'est, à n'en pas douter, un des plus grands centres commerciaux du monde, et certainement un des plus colorés. On peut s'y perdre pendant des heures avec un plaisir toujours renouvelé, probablement parce que c'est le meilleur endroit pour rencontrer des Stambouliotes et échanger avec eux, ne serait-ce que pour négocier le prix de tous ces objets qu'on trouve dans les marchés d'Orient.

Le Grand Bazar compte plusieurs milliers de boutiques, ateliers et kiosques de marchandises de toutes sortes, serrés les uns contre les autres dans un dédale d'allées et de passages qui désorienteraient n'importe qui. On est loin des centres commerciaux modernes et bien aérés. Au Grand Bazar, l'espace est utilisé au maximum. Murs et plafonds sont littéralement tapissés de marchandises de toutes sortes, que ce soit des bijoux, des objets d'onyx et de cuivre, des tapis, des tissus, de la céramique ou de la poterie. On y trouve de tout. C'est une ville dans la ville. C'est la caverne d'Ali Baba et le paradis du marchandage.

Le rituel entourant le marchandage s'inscrit dans les coutumes locales. La relation s'établit devant un verre de *tchai* (thé sucré) offert par le propriétaire de la boutique. Les pourparlers peuvent durer quelques minutes ou même des heures si le temps le permet et selon l'importance de l'objet convoité.

Çelik, un marchand de tapis, s'était montré tellement insistant que Derek accepta de prendre le thé, même s'il n'avait pas l'intention d'acheter quoi que ce soit. À moins que...

— Si tu avais un tapis volant, cela pourrait peut-être m'intéresser, lança Derek, comme pour faire diversion. Cela pourrait s'avérer fort utile, compte tenu des milliers de kilomètres que je compte encore parcourir.

— Où vas-tu ? demanda Çelik, intrigué.

— Je vais en Inde, répondit Derek.

— Tous les routards qui se dirigent vers l'Inde passent par Istanbul. Connais-tu le Pudding Shop ? renchérit Çelik.

Derek avait vaguement entendu parler de cet endroit où les routards de la planète, en route vers l'Inde ou de retour des confins de l'Asie, se donnaient rendez-vous. Pour ceux qui étaient en route vers l'est, c'était la dernière étape avant de tourner le dos à l'Europe et de se retrouver sur Main Bazaar à Delhi, Freak Street à Katmandou, Kao San Road à Bangkok ou Kuta Beach à Bali.

Ce haut lieu de rencontre des routards de passage sur la «Route des Indes» dans les années 1960 et 1970 se trouve à deux pas de la Mosquée bleue et du vieux quartier d'Istanbul, où sont concentrés les petits hôtels bon marché et quelques-uns des plus beaux bains turcs.

Le Pudding Shop avait peut-être perdu de son charme d'antan, mais demeurait un endroit où les routards pouvaient se retrouver entre eux.

Si jadis on y rencontrait surtout des Canadiens, des Américains, des Australiens, des Néo-Zélandais, des Japonais et des Européens de l'Ouest, la grande famille des routards s'était depuis élargie pour inclure des jeunes de la péninsule ibérique, d'Europe de l'Est et même d'Amérique latine.

Tous semblaient avoir pris la route pour des mois, voire des années. Au Pudding Shop, on vivait comme dans un monde à part avec comme seul point d'ancrage le moment présent. Au Pudding Shop, on laissait son passé au vestiaire.

Derek s'était retrouvé dans ce lieu mythique à la même table qu'un groupe de jeunes en provenance de Russie et en route pour les monastères du mont Athos, en Grèce, une destination qui l'intriguait d'autant plus qu'elle était hors des sentiers battus. N'entrait pas qui voulait dans la péninsule du mont Athos.

La conversation allait bon train quand un des serveurs, du nom d'Özgür, interpella Derek parce qu'il était intrigué par le médaillon qu'il portait. Il y avait un moment que personne n'y avait porté un intérêt particulier. Le fait de se retrouver aux portes de l'Asie y était peut-être pour quelque chose, pensa Derek.

— On me l'a donné en Inde, répondit succinctement Derek, sans vouloir éveiller l'intérêt de ceux qui étaient assis autour de la table.

— Il est vraiment spécial, renchérit Özgür, en tortillant d'une main fébrile sa généreuse moustache. Je suis certain que mon oncle aimerait bien le voir. Il travaille au hammam *Cagaloglu,* tout près d'ici.

En balayant du regard tous ceux qui se trouvaient assis à la table, il enchaîna :

— Si vous voulez, je pourrais vous y conduire après le travail. Je termine bientôt.

Le groupe aima l'idée d'aller prendre un bain turc, une coutume avec laquelle les Russes étaient déjà familiers. Derek, par contre, semblait moins chaud. L'intérêt qu'on pourrait porter à son médaillon ne lui disait rien de bon.

Après s'être laissé un peu prier par les autres, Derek accepta finalement l'invitation d'Özgür.

Le hammam *Cagaloglu,* un des plus anciens et des plus beaux d'Istanbul, est situé tout près de Sainte-Sophie. Il date de plusieurs siècles et rappelle, avec ses colonnes, ses fontaines et ses dalles de marbre, les thermes de la Rome antique.

S'il était jadis un lieu de rencontre au même titre que le café du coin, il avait perdu de sa popularité depuis que les maisons avaient l'eau courante. Il faisait néanmoins toujours partie de la tradition turque à en juger par le va-et-vient constant devant l'entrée.

Le temps d'enlever ses vêtements et de se passer une serviette autour de la taille, Derek suivit Özgür et les autres jusqu'à la salle d'eau équipée de bassins pour les ablutions. Dans cette salle surchauffée, embuée et éclairée par la lumière du jour que laissaient passer les alvéoles pratiquées dans la coupole, ils se lavèrent et se savonnèrent avec un gant de crin, avant de s'étendre sur une dalle de marbre chauffée.

C'est là qu'ils rencontrèrent Ülkem, l'oncle d'Özgür.

Derek avait laissé ses vêtements au vestiaire, mais il ne se séparait jamais de ses documents importants et de son médaillon, auquel Özgür ne manqua pas de faire allusion en le présentant à son oncle.

— Même si on peut à peu près tout acheter au Grand Bazar, dit Ülkem, en scrutant l'objet à la loupe, je n'ai jamais vu un médaillon comme celui-ci.

Derek se contentait d'écouter sans rien dire, mais percevait très bien l'intérêt des membres du groupe. Les commentaires d'Ülkem n'étaient pas tombés dans l'oreille de sourds.

Si Derek ne doutait pas de l'honnêteté d'Ülkem, il était moins rassuré quant aux intentions des Russes, qui de toute évidence n'étaient pas sur la même longueur d'onde et ne se comportaient pas comme les routards qu'il avait l'habitude de croiser sur sa route.

Un préposé offrit à Derek de lui masser le corps d'une main ferme. Traité aux petits oignons, Derek avait un peu perdu la notion du temps et oublié le va-et-vient autour de lui. Lorsqu'il reprit ses esprits, il était trop tard. Son médaillon avait disparu et les quatre Russes semblaient avoir pris la clé des champs.

Ses soupçons auraient pu se porter sur Ülkem et son neveu, mais ces derniers n'avaient pas quitté les lieux. D'ailleurs, ils semblaient tout aussi décontenancés que lui par ce qui venait de se passer. La réputation du hammam était en jeu. Mais les Russes étaient partis précipitamment, et c'était probablement de ce côté que Derek devait chercher. Il fallait cependant faire vite.

En route pour le Pudding Shop, Derek essayait de se rappeler certains détails de la conversation qu'il avait eue avec eux et qui auraient pu lui donner des indices sur l'hôtel où ils étaient descendus, leurs plans pour les prochains jours, etc. Il savait qu'ils devaient se rendre au mont Athos, mais c'était bien mince comme information.

Au Pudding Shop, on ne les avait pas revus, mais un des serveurs qui les avait croisés à quelques reprises au cours des derniers jours les avait entendus faire des commentaires sur l'hôtel Anadolu, situé non loin de là.

Sans perdre un instant, Derek se présenta à la réception de l'hôtel en question pour apprendre qu'ils y avaient effectivement passé les derniers jours, mais qu'ils étaient partis précipitamment. Ils devaient, d'après ce que la réceptionniste avait pu retenir de leurs échanges, se rendre au mont Athos pour la pâque.

— C'est quand la pâque grecque ? demanda Derek.

— Je n'en ai aucune idée, répliqua la bonne dame.

De toute façon, Derek savait qu'il devait obtenir un permis pour pouvoir se rendre au mont Athos, cette « République de Dieu », comme on l'appelle.

Istanbul est le siège du patriarcat de Constantinople qui bénéficie d'une primauté d'honneur (*Primus inter pares*), ce qui en fait la Rome de l'Église orthodoxe. Les monastères du mont Athos, qui sont considérés comme le foyer de l'orthodoxie, relèvent directement de l'autorité du patriarcat de Constantinople. C'était donc là, pensa Derek, qu'il obtiendrait ce fameux permis.

Dès le lendemain matin, il se rendit à la maison du patriarche. Il y aurait peut-être des renseignements sur les quatre comparses.

Au siège du patriarcat, Derek apprit que les monastères du mont Athos suivent le calendrier julien et que la pâque tombe en règle générale quelques semaines après celle célébrée par l'Église de Rome, mais rien sur les Russes rencontrés au Pudding Shop.

Tout ce qu'il avait en main au moment de quitter Istanbul, c'étaient les coordonnées d'un bureau à Salonique, en Grèce, où il devrait s'adresser pour obtenir le fameux permis donnant accès au mont Athos. Les célébrations de la pâque auraient lieu une dizaine de jours plus tard. Il n'avait donc pas de temps à perdre s'il voulait rattraper les Russes en cavale.

Le temps de récupérer ses effets personnels, il avait repris la route.

Chapitre 41
La République de Dieu

Mont Athos, Grèce

Après avoir montré patte blanche au bureau des pèlerins de Salonique, Derek se présenta à Ouranoupolis le jour du départ pour le mont Athos.

Ouranoupolis est une sorte de poste-frontière d'où on embarque pour se rendre en bateau jusqu'à Dafni et, de là, à l'un ou l'autre des monastères de la République de Dieu.

Le bateau était déjà plein à craquer et le pont envahi de sacs et de bagages quand embarquèrent finalement Derek et les derniers pèlerins depuis la jetée au pied de la tour byzantine d'Ouranoupolis.

Si obtenir le *diamonitirion*, le fameux permis d'accès au mont Athos, n'est pas une mince affaire, une fois le précieux document en main, les pèlerins ont les coudées franches pour la durée du permis, soit quatre jours et trois nuits, pour circuler librement dans la péninsule du mont Athos.

De Dafni, Derek allait donc pouvoir tout à son aise aller d'un monastère à l'autre à la recherche de son médaillon. Il n'avait que quelques jours pour retrouver les Russes, après quoi les chances seraient bien minces de les croiser sur sa route.

Pas grand-chose n'a changé au mont Athos depuis le Moyen Âge.

Les moines de la montagne sacrée vivent dans une autarcie presque totale. Ils doivent faire venir de l'extérieur les aliments dits «femelles», comme le lait, les fromages, les œufs, les céréales, depuis que l'empereur grec Constantin a interdit au XIe siècle l'entrée d'Athos à tout animal femelle, toute femme, tout eunuque ou tout visage lisse. La barbe et les cheveux longs qu'ils nouent en chignon sous leur *scouffia* (chapeau noir haut de forme) sont pour les moines un signe de virilité.

La péninsule du mont Athos couvre un vaste territoire. Derek, compte tenu des contraintes de temps, devait faire des choix s'il voulait retrouver la «bande des quatre».

Il était le seul passager à débarquer sur le quai du monastère de Simonopetra, qui ressemble davantage par son architecture au Potala de Lhassa qu'à un édifice byzantin. Il lui fallut une heure pour se rendre, par un sentier rocailleux et sous la pluie battante, jusqu'aux portes de ce monastère-forteresse juché sur un piton rocheux quelque 500 mètres plus haut.

L'endroit semblait désert et Derek entra au monastère comme dans un moulin. Il n'y avait pas âme qui vive à l'*arhodarili* (salle d'accueil du monastère) où, comme le veut la tradition au mont Athos, on se fait servir habituellement à l'arrivée un verre de raki, un café et un loukoum (sucrerie enrobée de sucre en poudre). Des *kyrie eleison* provenaient de la *basilika*, la principale chapelle du monastère. La cérémonie du Vendredi saint était en cours.

La *basilika*, qui constituait un édifice à part à l'intérieur du monastère, était un endroit exigu et éclairé uniquement à la lueur de chandelles. C'était d'abord l'odeur de l'encens qui retenait l'attention. Des chandeliers et des icônes occupaient toute la place et des fresques couvraient les murs et les dômes de cette chapelle Sixtine de l'orthodoxie grecque.

Après plusieurs heures de prières, cantiques et rites religieux dans un faste d'une époque révolue, sur l'invitation de l'*igou-*

menos (supérieur), tous se rendirent au réfectoire pour le seul repas de la journée. Au menu : soupe aux tomates et aux nouilles, pain noir, légumes vinaigrés, orange et verre d'eau, le tout servi dans de la vaisselle d'étain.

En cette période de carême, il n'était pas question de consommer de la viande, du poisson, du fromage ou des œufs. Tous mangèrent en silence, le nez enfoui dans leur bol de soupe. Puis au signal, ils se levèrent pour recevoir la bénédiction du supérieur. Le repas avait duré cinq minutes. Le supérieur et les moines quittèrent les lieux en premier, suivis des quelques dizaines de pèlerins venus d'un peu partout en Grèce. Derek était le seul étranger à Simonopetra.

Le quotidien des moines, qui ont fait vœu de pauvreté, de chasteté et d'obéissance, est consacré au travail, à la prière et au repos. Mais pendant la semaine sainte, on prie beaucoup, on dort un peu et on mange très peu.

Dans la tradition grecque, l'art est souvent religieux et la montagne sacrée recèle des trésors artistiques, notamment des icônes, qui se sont accumulés au cours du dernier millénaire. Comme les pèlerins sont en quelque sorte laissés à eux-mêmes, Derek ne pouvait chasser de son esprit l'idée que les quatre comparses, s'il avait vu juste sur leurs intentions, pouvaient profiter de leur séjour au mont Athos pour rapporter en Russie des icônes qui comptaient parmi les plus précieuses de l'Église orthodoxe.

N'ayant pas trouvé trace d'eux au monastère de Simonopetra, il décida, pressé par le temps, de procéder par élimination. Le monastère de Pantéleimon était le seul, parmi les vingt que comptait le mont Athos, à être fréquenté par des moines d'origine russe. Il était donc logique de penser que c'était à cet endroit que les quatre comparses avaient trouvé refuge.

Les moines étaient en prière depuis trois heures du matin quand Derek quitta Simonopetra au lever du jour. Il se dirigea vers le quai pour attendre le bateau qui le ramènerait à Dafni et, de là, le conduirait au monastère de Pantéleimon.

Le Pantéleimon, aussi appelé le *Rossiko*, en raison de son architecture d'influence russe, est facilement reconnaissable avec ses toits verts et ses clochers en forme de bulbes d'oignon. Une cinquantaine de moines d'origine russe y partagent leur quotidien. Coupés de leur pays d'origine après la révolution d'Octobre, en 1917, de jeunes moines sont venus prêter main-forte à cette communauté après l'effondrement de l'URSS dans les années 1990.

Une fois encore, semaine sainte oblige, les moines étaient à la *basilika* depuis déjà plusieurs heures au moment de l'arrivée de Derek. Tous se retrouvèrent ensuite au réfectoire pour le seul repas de la journée. La lecture de textes sacrés par un moine du haut d'une chaire imposa le silence et prolongea quelque peu ce deuxième repas frugal.

Tous devaient se retrouver à la chapelle à 21 heures pour une longue veillée pascale, ce qui laissait amplement le temps à Derek de faire le tour du monastère dans l'espoir d'y croiser les quatre Russes.

Ses recherches ne menèrent à rien. Pourtant, d'après la description qu'il en avait faite, on avait confirmé leur présence.

— Ne t'inquiète pas, lui dit Anastas, un jeune pope russe qui travaillait aux préparatifs de la veillée pascale et à qui Derek avait raconté ses déboires.

— Je ne m'inquiète pas seulement pour mon médaillon, renchérit Derek, qui avait parlé de l'importance qu'il accordait à cet objet et des craintes qu'il avait. J'ai également de sérieux soupçons sur les motifs de leur visite au mont Athos. Vos précieuses reliques ne sont peut-être pas en sécurité.

— Tu les verras sûrement lors du repas pascal, ajouta Anastas, un peu à la blague. Les repas sont très frugaux ici au mont Athos et personne n'a intérêt à oublier. On se reverra à la *basi-*

lika pour la veillée, conclut Anastas en retournant à ses occupations.

La veillée pascale s'étira jusqu'à cinq heures du matin, jusqu'au moment où le *semantron,* qui appelle quotidiennement les moines à la prière et qui, selon la tradition, aurait été utilisé par Noé pour donner le signal aux animaux de monter dans l'arche, résonna à tout rompre pour annoncer la résurrection du Christ.

Cristos Anesti ! Alithos Anesti !

Le Christ est ressuscité ! Il est vraiment ressuscité !

C'est en ces termes que les Grecs se souhaitent une joyeuse pâque.

Le repas pascal suivit, alors qu'il faisait encore nuit. Au menu : soupe au poulet et au riz, poisson et riz, légumes vinaigrés, pâtisserie et vin rouge. Comme le repas avait été préparé avant la veillée pascale, il était servi froid.

La résurrection du Christ, le fondement même du christianisme et la fête la plus importante dans la religion grecque orthodoxe, ne donna toutefois pas lieu à une explosion de joie. La lecture de textes sacrés imposa une fois de plus le silence pendant ce repas pascal.

Le père supérieur, après avoir béni les convives, se rendit à nouveau à la *basilika* pour une dernière prière. Dans un geste symbolique, il remit aux quelques participants qui pouvaient encore tenir le coup après cette longue veillée un œuf de couleur rouge, le symbole par excellence de la pâque. Ils allaient l'accepter avec humilité en inclinant la tête et en baisant la main de l'*igoumenos*. La pâque au mont Athos venait de prendre fin.

Comme l'avait laissé entendre Anastas, les Russes étaient présents au réfectoire pour le repas pascal. Il y avait Boris, Ioann et Alexei, mais Vladimir manquait à l'appel. Derek avait vu juste, mais le plus difficile restait à faire.

Ce n'est qu'une fois sorti du réfectoire, alors que les moines se dirigeaient à nouveau vers la *basilika*, que Derek put affronter les trois Russes.

Dès les premiers échanges, il fut évident qu'ils avaient quelque chose à voir avec la disparition du médaillon, mais aucun d'entre eux n'était prêt à tout déballer.

— Et votre ami Vladimir? lança Derek. Laissez-moi deviner... Il ne se sent pas très bien et a préféré garder le lit. Et vous savez pourquoi? Eh bien, je vais vous le dire. C'est lui qui a le médaillon. Mais ce que vous ne savez pas, c'est qu'il est source de malheur pour ceux qui le portent. C'est ce que j'ai compris depuis que je l'ai en ma possession. Ce que j'ai compris également, c'est qu'il n'appartient à personne et que je devrai un jour le rendre à qui de droit. Il appartient à des forces occultes que je ne peux expliquer, mais qui existent bel et bien.

— Et comment expliques-tu qu'il ne te porte pas malheur si ce que tu dis est vrai? lança Boris, incrédule.

— Ce médaillon m'a été confié il y a quelques années déjà. J'en suis responsable. Il a porté malheur à tous ceux qui ont tenté de me le prendre.

Après un bref silence et devant le peu de réactions de la part de ses interlocuteurs, Derek ajouta:

— Je vous aurai avertis.

À l'invitation du jeune pope Anastas, qui avait assisté à la scène, Derek, comme sont invités à le faire tous les pèlerins en visite dans les monastères, prit le chemin de la *basilika* pour aller vénérer les icônes et les reliques avant de se retirer pour dormir un peu. La veillée pascale avait été longue pour tout le monde.

Réveillé au son du *semantron*, Derek se rendit à la *basilika* en fin de matinée pour se laisser bercer à nouveau par le chant des moines.

La liturgie terminée, tous avaient rendez-vous au réfectoire.

Derek n'avait pas été étonné outre mesure de ne pas voir les jeunes Russes à la *basilika* à l'heure de la prière, mais leur absence au réfectoire avait de quoi surprendre.

Après le repas et à la demande de Derek, Anastas accepta, avant de vaquer à ses occupations quotidiennes, d'aller vérifier s'ils étaient toujours au monastère. La section réservée aux pèlerins se trouvait à l'autre extrémité du monastère-forteresse qui, avec ses différents édifices éparpillés ici et là, avait l'air d'un gros village.

Il régnait, à leur arrivée dans le dortoir, un lourd silence qui ne présageait rien de bon. Sur un lit, enveloppé dans un sac de couchage, le corps de Vladimir était déjà froid. La mort remontait à plusieurs heures. Aucune trace des trois autres Russes et du médaillon. Ils n'avaient rien compris.

Derek se retrouvait à la case départ.

Anastas aurait bien voulu l'aider dans sa quête, mais tout ce qu'il avait pu glaner comme information concernant les trois fugitifs était une indiscrétion du portier, le pope Nikolai, qui les avait entendus parler du monastère de la Trinité-Saint-Serge à Serguiev Possad.

— C'est au monastère de la Trinité-Saint-Serge, situé près de Moscou, qu'Ivan le Terrible a été baptisé et que Pierre le Grand trouva refuge pour échapper à un coup d'État, précisa Anastas.

Comme pour donner plus de poids à ses dires, il renchérit :

— Serguiev Possad est au cœur de l'âme russe.

C'était probablement la destination des trois fugitifs.

Mais que pouvaient-ils espérer faire du médaillon ? pensa Derek.

Le jeune routard allait devoir écourter son séjour au mont Athos.

C'était le jour de Pâques et, comme le nombre de bateaux qui faisaient la navette entre Dafni et Ouranoupolis était limité, Derek dut se résigner à prendre un peu de retard dans sa course contre la montre.

Chapitre 42
Au monastère de la Trinité-Saint-Serge

Serguiev Possad, Russie

Derek mit plus de deux semaines pour atteindre Moscou. Il se rendit d'abord à Sofia (Bulgarie) et à Bucarest (Roumanie) et, de là, fit les démarches nécessaires pour obtenir un visa pour la Russie avant de prendre un train via Kiev (Ukraine) jusqu'à la capitale russe.

Aller en Russie, même après l'ère soviétique, n'était pas de tout repos, surtout pour un voyageur autonome. Derek aurait pensé, après l'effritement de l'Empire soviétique au début des années 1990, que les règles auraient été plus souples, mais il n'en était rien. Si on pouvait se déplacer plus librement en Russie, les démarches pour obtenir un visa restaient longues et fastidieuses.

L'ambassade de Russie à Bucarest semblait vouloir décourager le voyageur autonome qu'il était. Elle exigeait, officiellement du moins, que les étrangers organisent leur séjour en Russie (forfait tout inclus) par l'intermédiaire d'une agence de voyages qui leur remettait alors une invitation, condition préalable pour obtenir un visa de tourisme.

En pratique, et en insistant un peu, le consulat de Russie fournissait le nom d'une personne qui pouvait remettre ladite invitation, mais les frais étaient élevés. Cette invitation (que tout le monde savait bidon) attestait aux yeux des autorités russes que le voyageur étranger avait fait, en théorie, l'achat d'un forfait pour la Russie. Une autre option moins onéreuse, que choisit

Derek, consistait à communiquer par Internet avec l'auberge de jeunesse de Moscou qui offrait ce genre de service et pouvait ainsi servir de camp de base en Russie.

Derek pouvait donc espérer, une fois ces formalités remplies, avoir les coudées franches pour se déplacer à sa guise en Russie.

Si à Moscou la Russie change très vite, comme si 10 millions de Moscovites voulaient rattraper le temps perdu sur l'Occident, à Serguiev Possad on vit hors du temps.

C'est à Serguiev Possad qu'on a souligné en grande pompe le millénaire de l'Église russe en 1988 et que les autorités ont redonné par ce geste symbolique droit de cité à une foi religieuse qu'on a cherché à étouffer pendant l'ère soviétique.

En 1988, à Serguiev Possad, l'Église russe orthodoxe a retrouvé ses lettres de noblesse. Serguiev Possad, qui avait par le passé joué un rôle primordial dans le développement social, religieux et culturel de la Russie, avait repris sa place au cœur de l'âme russe. C'est le berceau de la grande Russie.

Au monastère de Trinité-Saint-Serge, les popes sont omniprésents et, à en juger le jeune âge de certains, les vocations sont nombreuses. La foule est toujours dense et les pèlerins se bousculent aux portes. On vient en grand nombre faire ses dévotions, faire le plein d'eau bénite, allumer quelques cierges et, avec un peu de chance, baiser la main d'un pope et recevoir sa bénédiction.

Ce n'est qu'en fin de journée, alors que les popes s'étaient rassemblés à l'extérieur du monastère avant les vêpres, que Derek put librement aborder l'un d'eux afin de savoir s'il était ou non sur la bonne piste.

— Je connais bien un certain Boris, un jeune Russe d'une trentaine d'années, un grand gaillard au visage osseux et imberbe qui se rend régulièrement au mont Athos et assure une sorte de liaison informelle entre nos deux communautés, déclara un pope, qui cachait mal son jeune âge derrière sa longue barbe noire et ses vêtements austères, mais nous ne l'avons pas vu ici depuis quelque temps déjà.

Devant la méfiance de son interlocuteur, Derek avait tenté d'expliquer dans quelles circonstances il avait rencontré ce Boris en compagnie d'autres Russes au mont Athos et les dangers qu'ils couraient, mais sans succès. Ces explications ne rassurèrent pas sur ses intentions, bien au contraire.

— Vous l'attendez bientôt ? insista Derek, qui reconnaissait celui qu'il avait rencontré dans la description qu'en donnait le jeune pope.

— Son camp de base n'est pas ici, ajouta succinctement le pope, qui déjà lui tournait le dos et vaquait à ses occupations. Il vit à Rostov.

Rostov se trouvait un peu plus à l'est, à environ une heure de route. Situé aux abords du lac Nero, le kremlin de Rostov, plusieurs fois centenaire, ramenait à l'essentiel de l'âme russe.

Dès son arrivée au kremlin de Rostov, Derek s'empressa de se présenter au monastère de la Déposition. Transformé en auberge, c'était probablement le meilleur endroit pour y glaner un peu d'information.

— Boris est passé par ici il y a quelques jours, précisa la *babouchka*, qui disait bien le connaître. Il était accompagné de deux autres types, mais comme l'un d'entre eux se portait plutôt mal, ils ont décidé de l'accompagner jusque chez lui, à Irkoutsk, près du lac Baïkal, aux confins de la Sibérie. Je ne pense pas les revoir avant un mois.

— Savez-vous lequel d'entre eux se portait mal ? demanda Derek.

— Un certain Ioann, je crois, si ma mémoire est bonne. J'ai cru comprendre qu'ils devaient voir un médecin à Vladimir avant de prendre le Transsibérien. Vous savez, les médecins, ça ne court pas les rues en Sibérie.

— Quand sont-ils partis ?

— Hier, en fin de journée. Ils pourraient passer quelques jours à Vladimir, selon l'état de santé de leur camarade. Je doute que ce Ioann puisse supporter les quelque 5000 km d'ici à Irkoutsk dans l'état où il était hier.

Chapitre 43
À bord du Transsibérien

Lac Baïkal, Sibérie, Russie

Une fois à Vladimir, le premier réflexe de Derek fut de se rendre à l'hôpital pour tenter de s'informer de la santé de Ioann, ou plutôt de savoir s'il s'y trouvait toujours ou s'il était trop tard.

Lorsqu'il voulut décrire Ioann, à défaut d'en savoir davantage sur lui, il fit référence au mal mystérieux dont il pourrait souffrir.

Or, le fait que Derek soit au courant de ce mal, qui avait soulevé tant de questions au sein de l'équipe médicale, ne manqua pas d'éveiller les soupçons. Qui était donc cet étranger? Que voulait-il? Comment connaissait-il ce Ioann? Autant de questions que Derek pouvait lire dans le regard de la réceptionniste.

Peut-être avait-il trop parlé.

Quoi qu'il en soit, la réponse ne se fit pas attendre.

— Il n'est plus ici! répliqua d'un ton laconique, après s'être référée à la liste des patients, la réceptionniste qui semblait plutôt avare de commentaires.

Cette brève réponse laissait tout de même espérer que Derek pourrait retrouver les trois Russes s'il n'était pas trop tard pour réserver une place à bord du Transsibérien.

On peut traverser la Sibérie en prenant un des nombreux trains qui font la navette quotidiennement entre les différentes villes reliées entre elles par la plus longue voie ferrée du monde.

Mais prendre le *Rossiya*, le seul train rouge, bleu et blanc aux couleurs du drapeau russe, qui quitte la gare Yaroslavsky de Moscou à 21 h 20 les jours impairs pour s'arrêter à Vladivostok 125 heures plus tard après de brèves escales, est la solution pour quiconque veut se rendre le plus rapidement possible d'un point à un autre le long de cette route mythique.

Vladimir est le premier arrêt du Transsibérien en provenance de Moscou. Comme il n'y a qu'un train au long cours tous les deux jours, il y avait de fortes chances pour que Ioann et les autres y montent lors du bref arrêt, vers une heure du matin.

Les trois Russes que Derek avait pris en filature ne passaient pas inaperçus. Boris poussait le fauteuil roulant dans lequel Ioann avait pris place. Alexei fermait la marche.

Derek n'avait pas l'intention d'intervenir pour le moment. Il aurait amplement le temps, trois jours avant l'arrivée du train en gare à Irkoutsk, pour se manifester et reprendre possession de son médaillon. Irkoutsk était, jusqu'à un certain point, sur sa route vers l'Inde et il s'était fait à l'idée de parcourir des milliers de kilomètres, quel que soit le trajet choisi, pour arriver à destination.

On peut, pour environ une centaine de dollars, franchir en troisième classe les 5000 km qui séparent Moscou d'Irkoutsk. Alors que les passagers en première classe partagent un compartiment à deux et que ceux en deuxième classe partagent un compartiment à quatre, Derek se contenta d'un billet en troisième classe dans un wagon ouvert où s'entassait une cinquantaine de personnes. Avec les matelas empilés dans un coin, les vêtements accrochés ici et là et les enfants qui couraient dans toutes les directions, le wagon où il avait pris place ressemblait davantage à un camp de réfugiés. Le soir venu, on installait les matelas sur des lits superposés ou par terre pour transformer le wagon en un immense dortoir.

À bord du train, c'était le va-et-vient continu. Les couloirs étaient des lieux de rencontre et de convergence. On mangeait, on buvait de la vodka, on jasait et on jouait aux échecs. Des amitiés se nouaient et parfois des idylles se créaient. Après quelques jours de rail, Derek avait non seulement l'impression d'être au bout du monde, mais également d'avoir oublié le reste du monde. La voiture-restaurant, pour ceux qui en avaient les moyens, était devenue le centre nerveux du train et permettait d'oublier un peu la monotonie du trajet.

Après avoir quitté Vladimir, le train se dirigea vers l'est. Pendant des milliers de kilomètres, les clochers à bulbes des villages étaient souvent les seuls repères dans ces espaces d'une monotonie sans fin.

À Nijni Novgorod, quelques heures après avoir quitté la gare de Vladimir, le Transsibérien avait rendez-vous avec la Volga, le plus grand fleuve d'Europe.

À Iekaterinbourg, après 24 heures de train, Derek avait déjà avancé sa montre de deux heures et franchi le massif de l'Oural où l'Europe cédait le pas à l'Asie. Passé Iekaterinbourg, à 2 000 km de Moscou, commençait officiellement la Sibérie.

Lors des arrêts, les passagers n'avaient souvent que quelques minutes pour acheter des boissons, des amuse-gueule, des soupes et des cornichons en saumure offerts par les *babouchkas* (grands-mères) installées le long de la voie ferrée. La *provodnika* (responsable du wagon), qui contrôlait les allées et venues comme si cette portion du train était son royaume et qui en assurait la propreté comme si c'était sa propre maison, n'hésitait pas à faire des remontrances à certains passagers si elle le jugeait nécessaire et s'assurait que tous remontent à temps.

Si les habitants de Novossibirsk, la plus grande ville de Sibérie, vivent comme dans n'importe quelle ville nord-américaine, dans les villages qui s'étirent le long de la voie ferrée où le train ne s'arrête jamais, les gens habitent dans des isbas, ces maisons de bois en rondins noircis par le temps, et y cultivent leurs lopins de terre comme si la vie avait bien peu changé depuis l'arrivée des premiers colons, 400 ans auparavant. Seules les fenêtres des maisons, avec leur contour de bois tout en dentelle, semblent faire l'objet d'une certaine attention de la part de leurs propriétaires, comme si ces ouvertures sur l'extérieur canalisaient tous leurs efforts et étaient leur plus grande fierté.

Prendre le Transsibérien, c'est vivre toute l'immensité de l'empire russe et c'est prendre conscience des défis de la grande Russie. Si certains disent qu'il n'y a rien à voir en Sibérie, il faut parcourir ces milliers de kilomètres pour comprendre la Russie et la place qu'occupe la Sibérie dans le plus grand pays du monde.

Mais Derek, tout conscient qu'il était, rivé à la fenêtre de son wagon, de parcourir une route mythique, avait d'autres préoccupations que ces milliers de kilomètres de monotonie dans un tas de ferraille qui semblait ne mener nulle part.

Il aurait dû normalement être confiné à son wagon de troisième classe, mais le fait qu'il soit un étranger lui permettait de circuler assez librement d'un wagon à l'autre. Les *provodnika* des premières et secondes classes, habituées de compter nombre d'étrangers parmi leurs passagers, ne semblaient pas faire trop de cas de ses allées et venues.

Derek eut tôt fait de repérer les trois comparses dans un wagon de deuxième classe, mais il n'avait pas remarqué que, depuis Vladimir, il avait lui aussi été pris en filature.

Les questions qu'il avait posées à l'hôpital et le mal étrange dont souffrait Ioann avaient mis la puce à l'oreille des autorités. Derek était devenu, à son insu, une raison d'État. Avant même qu'il ait pris l'initiative d'aborder les anciens pèlerins du mont Athos, celui-là même qui partageait le compartiment des trois larrons s'approcha de lui dans la voiture-restaurant.

Cette rencontre semblait n'avoir de prime abord rien d'officiel jusqu'à ce que le représentant de l'ordre, qui portait l'uniforme militaire, s'interroge ouvertement sur la présence de Derek à bord de ce train et sur le mal mystérieux dont souffrait Ioann.

Si Derek avait retenu un conseil qu'on lui avait donné avant d'entrer en Russie, c'était de se méfier des autorités qui pouvaient abuser de leurs pouvoirs et trouver facilement prétexte à soutirer de l'argent aux étrangers de passage. À Moscou, il avait réussi à se tenir loin des représentants de l'ordre, le plus souvent en évitant de les croiser sur son chemin, mais il ne voyait pas comment s'en tirer facilement à bord du *Rossiya*.

Il n'avait rien à se reprocher, mais...

Aussi, après un moment de réflexion, décida-t-il tout bonnement de se mettre à table, de raconter ce qui s'était passé au *Rossiko* du mont Athos et pourquoi il était à bord du Transsibérien.

— Tout ce que je veux, conclut Derek, après s'être longuement expliqué, c'est récupérer mon médaillon et, par le fait même, sauver la vie de Ioann pendant qu'il en est encore temps.

Le représentant des forces de l'ordre semblait sceptique.

— De toute façon, ajouta Derek, je ne peux pas aller bien loin à bord de ce train et vous pourrez facilement me garder à vue.

L'homme de loi, qui incarnait par sa manière d'être tout ce que la société russe avait de plus rigide, avait tout de même écouté.

Derek quitta la voiture-restaurant pour aller reprendre son siège dans le wagon de queue, préférant pour le moment laisser l'agent de sécurité prendre l'initiative. Il avait encore 18 heures devant lui avant d'arriver à Irkoutsk.

Le train venait de passer Krasnoïarsk sur les rives de l'Ienisseï. On était encore à 1000 km d'Irkoutsk.

Il avait à peine repris sa place que l'agent le rejoignit.

— En passant, mon nom est Leonid. Combien me donnes-tu si je réussis à récupérer ton médaillon ? L'agent était soudain devenu moins rigoureux et semblait désireux d'arrondir ses fins de mois.

Derek réfléchit un instant, puis sortit de son sac à dos la rose des sables.

— Ça me semble bien peu pour ton médaillon, répliqua Leonid en examinant l'objet sous tous les angles.

— Si tu crois, comme moi, que le médaillon peut avoir des pouvoirs surnaturels, je ne vois pas comment tu pourrais y perdre au change, ajouta Derek, sachant bien qu'il venait de toucher une corde sensible. Contrairement au médaillon, la rose des sables, qui m'a été remise par un roi africain, ne peut que t'apporter de bonnes choses.

— Je reviens, répondit Leonid, en tournant les talons.

Lorsque Leonid retrouva le compartiment qu'il partageait avec Boris et ses deux camarades, il était déjà trop tard. Ioann avait rendu l'âme et la *provodnika* ne savait plus où donner de la tête. Celle qui pouvait gérer d'une main de fer la vie à bord du wagon semblait tout à coup vulnérable et craignait qu'on la blâme pour ce qui venait de se passer. Elle ne donnait pas cher de son avenir à bord du *Rossiya*.

Cette mort subite ébranla également Leonid, qui ne doutait plus désormais des pouvoirs du médaillon. Il n'eut donc aucun mal à convaincre Boris et Alexei qu'il était temps d'entendre raison. Ils n'avaient, contrairement à Derek, aucun avantage à garder ce médaillon pour eux-mêmes ou à le vendre au plus offrant.

S'ils avaient décidé de le garder, ils auraient non seulement subi les pressions de la *provodnika,* ce qui aurait pu être en soi difficilement tolérable, mais ils auraient eu également sur le dos les autorités à leur arrivée à la gare d'Irkoutsk.

Pour tirer un trait sur cette course folle en Sibérie, Boris et Alexei acceptèrent de remettre le médaillon à Derek. Ce dernier acquiesça à leur demande de les accompagner, le temps de remonter l'Angara jusqu'à Listvianka et de là de se rendre à Bolshiye Koty, un petit village isolé et inaccessible par la route situé sur les rives du lac Baïkal, afin de ramener le corps de Ioann à sa famille.

Après la longue traversée de la Sibérie et cette course interminable contre la montre, le lac Baïkal était pour Derek comme le bout du tunnel. Il pouvait dès lors envisager un retour en Inde. Il approchait du but.

Chapitre 44
L'Olympe des Birmans

Mont Popa, Myanmar

De retour à Irkoutsk, Derek poursuivit sa route vers la Mongolie avant de se retrouver aux confins de la Chine et dans le Triangle d'or.

Au Myanmar, Derek était en quelque sorte en pays connu. Il s'était, depuis ses premiers contacts avec l'Orient, reconnu dans la quête de Bouddha.

Bouddha avait enseigné la réconciliation avec soi-même et avec les autres : la paix. La paix qu'il fallait construire en soi, lentement mais sûrement, pour la communiquer ensuite aux autres. Et c'était cette paix intérieure, dans le regard et le sourire énigmatique de Bouddha, que Derek retrouvait au Myanmar en côtoyant tous ces moines.

Comme les moines bouddhistes, le globe-trotter qu'il était devenu avait franchi toutes les frontières. Se limitant à l'essentiel, il avait choisi d'être plutôt que d'avoir. Se contentant de peu, il s'était montré ouvert à toutes les cultures. Comment ce voyage aurait-il pu s'arrêter là ? Comment, même s'il sentait que sa longue virée de par le monde trouvait un certain dénouement, aurait-il pu s'arrêter dans cette quête qu'il poursuivait et qui le poursuivait ?

Derek descendit le fleuve Irrawaddy, la principale artère du Myanmar. Il draine, sur les quelque 2 000 km de son parcours, le pays du nord au sud pour former un vaste delta qui donne sur le golfe du Bengale et constitue un des plus riches greniers à riz au monde.

Bateaux de pêche, radeaux de bambou, bacs chargés de passagers donnent vie à ce cours d'eau tranquille et assurent discrètement et sans faire de vagues la vitalité économique du pays. Dans ces bateaux sans confort, pris d'assaut à chaque escale par les vendeurs ambulants, s'entasse le commun des mortels au milieu des ballots, des paniers, des volailles et de tout ce qui fait le quotidien des Birmans.

Prendre un de ces bateaux pour descendre l'Irrawaddy, c'était partager l'intimité des Birmans, leurs passe-temps, leurs prières, leurs chiques de bétel et leurs *cheeroots*, sortes de gros cigares enroulés dans une feuille d'épis de maïs qui contiennent des racines, des herbes aromatiques et un peu de tabac, et qu'on consomme pour se détendre, passer le temps, voire oublier la faim.

Après quatre jours de pluie presque continue (saison des pluies oblige), le ciel de Mandalay était enfin étoilé. Déjà, à cinq heures du matin, alors qu'il faisait encore nuit, les rues du marché qui s'étirait le long de la rivière commençaient à s'animer.

Ce matin-là, Derek avait rendez-vous avec Bouddha, un rendez-vous qu'il s'était donné lui-même avec les moines bouddhistes d'un des plus importants monastères du Myanmar.

Avant que pointe le jour, les moines avaient déjà enfilé leur robe couleur safran et arpentaient les rues du marché à la queue leu leu, pieds nus et d'un pas rapide, leur bol sous le bras, dans la boue laissée par les pluies torrentielles des derniers jours. Ils étaient des dizaines, des centaines, voire un millier, à zigzaguer en file indienne dans les ruelles donnant sur la place du marché en quête de nourriture.

Vers six heures, le marché était déjà en pleine effervescence et les moines mendiants s'étaient éparpillés dans la ville. Ils allaient revenir au bercail vers 10 heures, le temps de se réunir pour la prière dans la grande salle commune, de faire leurs ablutions matinales et de faire la queue pour le principal repas de la journée. À l'heure de la prière, des centaines de voix à l'unisson scandaient à répétition les textes sacrés devant une statue de Bouddha. Le Myanmar se transportait alors dans une autre dimension.

Une rencontre impromptue avec de jeunes moines en soirée amena Derek à se rendre jusqu'à Bagan, la cité des pagodes.

— Si tu veux comprendre le bouddhisme et donner un sens à ta quête autour du monde, lui dit l'un d'entre eux, après une longue discussion sur le cheminement de Derek au cours des dernières années, tu dois te rendre à Bagan et au mont Popa, et aller à la rencontre des esprits birmans.

À Bagan, où une puissante dynastie édifia il y a mille ans sa capitale, il y a des temples par milliers, comme une forêt de stalagmites s'étendant sur des kilomètres, tantôt en bon état, tantôt en ruines, souvent en concurrence avec la jungle envahissante, mais où les offrandes laissées par les pèlerins et les bâtons d'encens qui se consument en font un site toujours vivant. C'est le site sacré du Myanmar.

Près de Bagan, un escalier étroit et raide mène au ciel. Le mont Popa, haut lieu de pèlerinage, comme un pain de sucre au milieu de la plaine, a l'allure d'un nid d'aigle. C'est la demeure des trente-sept *nats* (esprits). C'est l'Olympe des Birmans.

Ces 37 esprits, dont le nombre correspond à autant d'hommes et de femmes ayant déjà existé, ont été transformés en héros. Ils exercent toujours, selon des croyances datant d'avant l'implantation du bouddhisme sur les rives de l'Irrawaddy, leurs pouvoirs sur les humains en s'introduisant dans le corps de médiums, les *natkadaws*, considérés comme leurs épouses. Les *natkadaws* sont très respectés. À la fois médiums, comédiens et charlatans, les « épouses » des esprits sont souvent des femmes d'âge mûr ou même des hommes travestis en femmes qui sont, lors des célébrations en l'honneur des *nats*, envahis par les esprits qui transmettent leurs messages aux vivants.

Accompagné de Zaw, qui l'avait conduit la veille à bord de sa charrette tirée par un âne dans les ruines de Bagan, Derek gravit les nombreuses marches jusqu'au sommet du mont Popa.

Un *natkadaw*, accoutré et maquillé comme une drag-queen, avait accepté de le rencontrer et d'intercéder en son nom auprès des *nats*.

Derek déposa, à la suggestion de Zaw, une offrande composée de fruits à l'intention des esprits dans une niche prévue à cet effet, mais il devait en apprendre bien peu sur la suite des choses.

— Les *nats* t'accompagneront, se limita à dire le *natkadaw*, mais tu devras te rendre aux grottes de Po Win Taung pour qu'ils assurent ta protection. Zaw, ton ami birman, t'y conduira. Tu es parvenu à une étape cruciale de ton périple autour du monde. Il est temps pour toi de faire le point.

Derek en était bien conscient. L'heure des bilans avait sonné.

Des centaines de grottes creusées dans la colline et des milliers de bouddhas font de Po Win Taung, situé hors des sentiers battus, un sanctuaire exceptionnel et le plus riche ensemble de peintures rupestres d'Asie du Sud-Est. Sur les parois de certaines grottes, qui abritent des statues de Bouddha et qui servent de refuge aux moines, de véritables bandes dessinées racontent la vie de Bouddha.

Au point du jour, une vieille dame arrive en char à bœufs apportant avec elle au temple Po Win Shin Ma, la Mère protectrice, la statue d'un *nat* de la taille d'un nouveau-né, enveloppée d'écharpes rouges et jaunes. Une fois la statue installée dans la grotte, des pèlerins viennent se prosterner, lui offrir des fleurs ou de l'encens, allumer une bougie ou offrir de l'argent à la vieille dame. Considérée comme la grand-mère du village, elle intercède pour les gens auprès du *nat* afin d'assurer le succès de leurs projets entre deux bouffées de *cheeroot*. Le soir venu, elle emporte la statue chez elle pour la rapporter sur le site le lendemain matin. La vieille dame et la statue ne se quittent jamais. La dame agit, au même titre que le *natkadaw* rencontré au mont Popa, comme une fiancée du *nat* protecteur. Elle est le passage obligé entre les pèlerins et le *nat*.

Zaw, qui accompagnait Derek, se faufila parmi un groupe d'enfants qui tournaient autour d'eux depuis leur arrivée et les nombreux singes qui occupaient le site, pour s'approcher de la fiancée du *nat* et lui expliquer le but de leur visite. Ce n'est qu'après avoir remis à la vieille dame quelques centaines de kyats en guise d'offrande que Derek eut droit à son attention.

— Elle demande plus d'argent, précisa Zaw, en se tournant vers Derek. Tu devrais également enlever tes chaussures... et surtout ne tourne pas le dos au *nat*.

Derek avait encore beaucoup à apprendre, semblait-il, sur l'étiquette birmane. Il acquiesça à la demande de la vieille dame et déposa, avec les deux mains en signe de respect, un autre billet près de la statue.

La dame, qui fixait la statue depuis un moment déjà, tomba en transe. Elle avait réussi à amener le *nat* à se manifester en prenant possession de son corps. Elle s'approcha de Derek et agrippa fermement son médaillon, non pas pour le lui arracher comme il aurait pu le croire pendant un moment, mais pour jauger son pouvoir.

Derek ne bougeait plus. La vieille dame était de moins en moins cohérente dans ses propos. Les sons gutturaux qui émanaient de sa gorge ne semblaient avoir aucun sens. Puis elle lâcha prise et s'effondra.

Il fallut un moment pour la ranimer. Derek était très mal à l'aise par rapport à ce qui venait de se passer. Que devait-il comprendre à tout cela ?

Il n'eut pas à se poser la question bien longtemps. La dame reprenait ses sens.

— Ne confie ce médaillon à personne, déclara-t-elle. Il représente un danger réel pour quiconque voudrait s'en emparer. Même pour toi. Il pourrait être fatal si tu ne le remets pas à qui de droit dans un proche avenir. Ton médaillon pourrait se retourner contre toi.

La dame s'effondra à nouveau, épuisée.

Les enfants qui entouraient Derek il y a quelques minutes à peine, curieux qu'ils étaient de rencontrer un étranger, avaient tout à coup pris un certain recul comme si Derek était devenu une menace, un être aux pouvoirs maléfiques.

Derek ne se rendait pas vraiment compte de ce qui lui arrivait.

Mais Zaw, qui connaissait le côté superstitieux des Birmans, avait vite compris qu'il devait sortir Derek de là. La réaction des gens était imprévisible. Le temps de quitter la grotte, de descendre vers la rivière où un bac les attendait, ils passèrent rapidement sur l'autre rive. Ils étaient momentanément hors de danger.

Il était temps, conclut Derek, de retourner à la case départ : Bénarès.

Épilogue

Kolkata est le plus grand bidonville de la planète, mais c'est aussi une ville de partage. À Kolkata, le pauvre est moins pauvre parce qu'on met tout en commun et qu'on n'est jamais seul. La rue devient un centre commercial le jour, une foire alimentaire le soir et un dortoir la nuit. À chacun son petit coin de paradis et d'enfer, à chacun sa façon de tirer parti de la plus petite chose et de mener sa lutte pour la survie à même la rue où on a élu domicile.

La gare ferroviaire est le reflet de la société indienne et donne le ton. C'est le prolongement de la rue. Le soir venu, la gare devient un immense dortoir où les corps se touchent dans la chaleur moite de la nuit pour former une immense chaîne de vie. En Inde, faute de place, on ne craint pas les contacts et on a un peu l'impression, en enjambant les baluchons et les corps allongés sur les quais, que la vie est peut-être, tout compte fait, un grand voyage.

Derek, en montant à bord du train qui devait le conduire de Kolkata à Bénarès, bouclait la boucle et revenait à la case départ. Ce train était la dernière étape de son long périple depuis la rencontre qu'il avait faite cinq ans plus tôt sur les ghâts qui menaient au Gange. Le facteur temps était tout à coup devenu pour lui un élément déterminant, comme si la prédiction de la vieille dame des grottes de Po Win Taung au Myanmar pesait de tout son poids sur son avenir.

Les quelque 700 kilomètres qui séparaient Kolkata de Bénarès semblaient sans fin. Mais le branle-bas à chaque arrêt le faisait sortir de ses longues rêveries et le ramenait rapidement à la réalité indienne.

Derek aurait pu remettre en question son périple et s'arrêter à tout moment au cours des dernières années, mais il était conscient qu'il s'était accordé, pendant tout ce temps à vagabonder de par le monde, le plus beau cadeau qu'on puisse se donner dans la vie: une expérience de liberté hors du commun et le privilège de découvrir ce que la planète Terre a de plus beau à offrir.

Beaucoup rêvent de faire le tour du monde, de prendre le pouls des grandes villes de la planète, de s'attarder dans des lieux qui ont marqué l'histoire de l'humanité et qui ont été de grands créneaux culturels. Derek venait de réaliser ce rêve.

Pendant ce long périple, il avait appris à mieux «être». Allait-il pouvoir accepter de retourner en arrière et de plonger tête première dans un monde axé sur l'avoir?

Pouvait-il se ranger et mener une vie plus sédentaire? Rien n'était moins sûr. Pouvait-il y avoir un compromis à la liberté? Pouvait-il réintégrer la société qu'il avait quittée ou devrait-il accepter de vivre désormais dans une sorte de société parallèle, conscient que même s'il partageait la vie des autres, il aurait toujours la tête ailleurs?

Ce n'est pas l'imprévu du voyage qui est angoissant, c'est l'habitude, le train-train quotidien dont, trop souvent, on ne peut se libérer une fois qu'on a mis le doigt dans l'engrenage de la société de consommation.

Voyager, c'est prêter le flanc à l'inconnu, mais c'est surtout faire confiance aux gens.

Derek venait de vivre, à sa façon, l'épopée du Ramayana. S'il était méfiant vis-à-vis de ce gourou de Bénarès lorsqu'il l'avait rencontré la première fois, il avait appris à lui faire confiance en cours de route, comme si cette confiance s'était développée à distance, par l'entremise des autres, de cette armée de singes qu'il avait rencontrée sur son chemin, au fur et à mesure qu'il apprenait, dans ses péripéties, à apprivoiser le monde et les différentes cultures, à mieux faire corps avec son médaillon.

Une fois à Bénarès, comment allait-il retrouver ce gourou dont il ne connaissait même pas le nom ?

Il avait fait du Vishnu Rest House, où il avait un pied-à-terre sur les rives du Gange pour quelques dizaines de roupies par jour, son camp de base.

À l'hôtel, on ne lui était d'aucune aide pour retrouver l'homme en question, mais on lui conseilla de se rendre tôt le matin au temple Vishwanath, mieux connu sous le nom de Temple d'or. Ce temple dédié à Çiva est le plus sacré de la ville. Si aucun étranger n'est admis à l'intérieur, Derek pouvait tout de même espérer y rencontrer des gens à proximité qui pourraient le mettre sur une piste.

Après quelques heures passées près du Temple d'or, sans succès, Derek décida de se rendre au ghât Dasaswamedh. C'est le ghât le plus fréquenté de la ville et c'est à cet endroit, sur les marches menant au fleuve sacré, que Derek avait rencontré le gourou qui avait changé sa vie.

Était-il toujours vivant ? se demandait Derek en se frayant un chemin dans la foule bigarrée de charlatans, de diseurs de bonne aventure et de mendiants qui s'agglutinaient quotidiennement autour des pèlerins pour en tirer leur subsistance.

— Vous me reconnaissez ? demanda Derek après un moment d'hésitation à un vieil homme qui ressemblait à celui qu'il avait rencontré des années plus tôt et qui était toujours assis au même endroit.

En dévoilant l'objet qu'il avait pris soin de dissimuler sous son t-shirt afin de ne pas attirer l'attention, il poursuivit :

— Vous reconnaissez ce médaillon ?

— Je te reconnais, dit l'homme qui avait pris quelques rides, mais qui portait le même *dothi* et le même turban, comme s'il était, à l'instar de la ville sainte, figé dans le temps.

En fixant le regard de Derek pour mieux lire dans ses pensées, il demanda :

— Tu as fait un beau voyage ?

Après un moment de silence, il poursuivit :

— Mais laisse-moi deviner... Tu me rapportes le médaillon.

— Si j'ai bien compris, c'est ce qui était convenu implicitement, n'est-ce pas ? J'en ai conclu que, même s'il m'était destiné, il ne m'appartenait pas vraiment. Mais appartient-il vraiment à quelqu'un ?

— Tu as raison, dit le gourou, il n'appartient à personne et il revient aux dieux de déterminer celui ou celle qui devrait le porter. Il est temps pour toi de le rendre.

— Vous êtes en train de me dire que je suis, en quelque sorte, au bout de la route et qu'il serait plus utile à quelqu'un d'autre ?

— Le médaillon t'a permis de trouver ta voie et de faire des choix éclairés entre les forces du bien et du mal. Dorénavant, si tu le gardais en ta possession, il pourrait t'être tout aussi néfaste qu'il l'a été à ceux qui ont essayé, tout au long de ta route, de te l'enlever. Tu as même un certain retard... Et tu dois ta survie au fait que si le médaillon t'a protégé dans ta quête autour du monde, tu le lui as bien rendu, en faisant ton possible pour le rapporter à bon port et surtout pour en rapporter la partie manquante, la svastika. Cela aussi faisait partie de ton destin et je pense que tu l'as compris.

Après un moment, l 'ascète reprit :

— Le médaillon représente cette quête d'absolu qui est la nôtre, cette démarche personnelle qui nous permet de grandir dans nos libres choix et de nous ouvrir au monde qui nous entoure.

— Comme Rama dans sa quête, dit Derek.

— Comme l'épopée du Ramayana, confirma son interlocuteur. On ne naît pas citoyen du monde, on le devient. On ne trouve pas le bonheur, on construit son propre bonheur au quotidien par les choix qu'on fait et les décisions qu'on prend. Tu as choisi de faire le tour du monde et tu es allé au bout de tes rêves.

L'homme de Bénarès conclut :

— Le médaillon incarne le rêve, mais tous n'ont pas les mêmes rêves et surtout ne prennent pas les décisions qui leur permettront de réaliser leurs rêves.

Derek, résigné, remit le médaillon. Il avait eu le temps au cours des derniers mois de comprendre qu'il devait en arriver là.

— Dites-moi, ajouta Derek, comme s'il ne voulait pas vraiment tourner la page, refermer le livre de ses aventures et mettre fin à cette quête autour du monde, étiez-vous au courant du svastika, cette pièce manquante ?

— Ce médaillon a traversé le temps, insista le gourou. Tu n'es pas le premier à qui il a été confié. Tu n'es pas le premier ou le dernier avatar de Vishnou. Qui sait ? Peut-être qu'un jour l'oracle se réalisera.

— Quel oracle ? reprit Derek.

— Celui selon lequel un guide et prophète viendra prendre possession de ce médaillon, dont les origines sont pour le moins obscures et se perdent dans la nuit des temps, et lui donnera ses pleins pouvoirs.

L'heure des adieux avait sonné.

Déjà une horde de singes s'agglutinaient tout autour, comme s'ils étaient sous les ordres de Hanuman, le général de l'armée de singes qui avait aidé Rama dans sa quête pour retrouver Sita. Ils représentaient, d'une certaine façon, tous ceux et celles que

Derek avait croisés sur sa route et qui l'avaient inspiré et appuyé dans sa démarche.

— Tu reviendras me voir un jour? demanda l'ascète.

— Peut-être. Qui sait? répondit Derek, l'air songeur, en tournant le dos au vieil homme.

Derek avait des sentiments mitigés, comme si tout avait été dit et qu'il était temps de rentrer au bercail. Il avait bel et bien bouclé la boucle. Il avait le mal du pays, certes, mais il appréhendait en même temps ce retour qui semblait inéluctable et qui le ramènerait nécessairement en arrière.

Il avait tourné le dos à l'Amérique parce qu'il voulait vivre autre chose. Comment pouvait-il imaginer pouvoir réintégrer cette même société, alors qu'il avait tout fait au cours de son périple pour prendre ses distances? Comment pouvait-il envisager de retourner chez lui et de faire comme si rien ne s'était passé? Ou alors s'était-il condamné à l'errance et à vivre hors des normes?

Il n'était pas prêt à rayer de son champ de vision les valeurs qui l'avaient amené à quitter son petit confort pour partir à l'aventure. Les valeurs de jeunesse qui l'avaient motivé à prendre le large devaient trouver leur place dans le monde des adultes.

Derek reprit la route une dernière fois pour se rendre à New Delhi en autocar en empruntant le Grand Tronc. Cette route qui longe la plaine du Gange relie le Pakistan au golfe du Bengale et s'étire d'est en ouest sur plus de 2 500 km.

Le Grand Tronc n'a rien à voir avec les autoroutes modernes. Aux voitures et aux camions, il faut ajouter les charrettes tirées par des bœufs, les rickshaws, les motocyclettes transportant des familles entières, les minibus, sans compter les vaches, les chiens errants et les piétons avec lesquels il faut composer dans un nuage de pollution et de poussière. Une route, somme toute, qui n'a plus rien de mythique et que Derek avait décidé de parcourir pour vivre l'Inde une dernière fois, comme une expérience de survie, parce que c'était dans cet abandon de soi qu'il goûtait pleinement sa liberté d'être tout simplement.

On tombe en panne sur le Grand Tronc, on dort où on peut, on lutte contre les chaleurs insoutenables, les moustiques, les diarrhées et les coups de soleil, et il y avait tous ces vendeurs ambulants qui misaient sur l'étranger de passage pour assurer leur survie et avec qui Derek devait composer.

Il allait prendre un bain de foule dans la plaine du Gange et se retrouver une dernière fois au cœur des croyances des hindous, des jaïns, des bouddhistes, des musulmans et des sikhs qui s'étaient installés le long de cette autoroute de la foi, de quoi faire la synthèse de ses années de voyage.

Au hasard de sa route, à bord d'un de ces autocars du bout du monde, Derek avait remarqué une jeune étrangère. Elle avait un regard qui portait loin et laissait deviner beaucoup de caractère.

— Tu vas loin comme ça? lui demanda Derek, afin d'engager la conversation avec celle qu'il avait reconnue comme une routarde authentique et sans compromis.

Sans même attendre la réponse à sa première question, alors que l'autocar était ballotté dans tous les sens sur une route presque impraticable, il poursuivit:

— Comment t'appelles-tu?

— Séléna, répondit la jeune fille, en se retournant vers son interlocuteur et en s'agrippant à la banquette pour éviter d'être éjectée en bas de son siège en raison des soubresauts continus de l'autocar, dévoilant un médaillon qu'elle portait au cou. Celui-là même que portait Derek il y a quelques jours à peine.